CW01021971

&Architettura &Musica

&Architecture &Music

Renzo Piano Building Workshop

Sette cantieri per la musica dall'Ircam di Parigi all'Auditorium di Roma

Seven sites for music from the Ircam in Paris to the Auditorium in Rome

Edizioni Lybra Immagine

Musica per Roma ha voluto raccogliere in un volume le immagini della mostra di sette progetti dell'architetto Renzo Piano, che hanno per tema centrale la musica. Il motivo di questa scelta è semplice: la mostra è stata allestita in occasione dell'apertura delle prime due sale dell'Auditorium di Roma.

È stato quindi del tutto naturale per noi che abbiamo seguito quotidianamente la realizzazione difficile e appassionante di uno dei progetti più impegnativi di Piano (appunto l'Auditorium), cogliere l'opportunità di presentare un quadro più completo della sua architettura della musica.

Lo sforzo, apparso talvolta perfino a noi disperato, per rimettere sui binari giusti un cantiere fermo, impantanato, oggetto di assurde controversie giudiziarie, è stato alimentato anche dallo sdegno di non vedere realizzato in Italia, ciò che Piano ha realizzato invece nel resto del mondo, nel corso della sua lunga attività.

Ora, Roma ha vinto finalmente la sua sfida. L'Auditorium c'è, ed è una sintesi alta e riuscita, di idee, spunti e progetti, che il grande architetto genovese (dall'Europa all'Oceania, dall'Ircam di Parigi alle sale da concerto e ai centri culturali), in modi diversi e con diverse dimensioni, ha ideato per servire l'arte della musica: ricercando nuovi nessi e relazioni tra l'acustica, la musica stessa e la costruzione di luoghi ad essa destinati.

Questi luoghi, per Piano, devono essere pensati come strumenti musicali. Da qui, la cura intensa per il particolare realizzato con l'amore dell'artigiano, ma anche l'importanza dell'emozione che il progetto comunica e dell'idea che esso trasmette: un'architettura quasi aerea, leggera, sospesa, in grado di vibrare, come le note che poi si diffonderanno in quei luoghi.

La mostra ripercorre così, 30 anni di lavoro e di ricerca, che dal 1970 ad oggi sono stati ininterrotti. Tavoli tematici, grandi modelli, blue prints, immagini sospese rievocano il lavoro per la musica della Renzo Piano Building Workshop.

Questo materiale prezioso meritava di essere visto, studiato, goduto, non solo dai visitatori di una mostra, seppure importante e unica nel suo genere, ma da un pubblico più ampio. Per questo motivo, nasce il libro che Musica per Roma ha voluto pubblicare con la certezza di una sua meritata e grande diffusione.

L'Amministratore Delegato
Musica per Roma S.p.A.
Maurizio Pucci

Il Presidente
Musica per Roma S.p.A.
Goffredo Bettini

Musica per Roma has taken the pictures of the exhibition on seven projects by the architect Renzo Piano - centred upon the theme of music - and put them into a single volume. A simple reason lies behind this decision - the exhibition was organised for the occasion of the opening of the first two halls of the Auditorium in Rome.

It was, therefore, quite natural for those of us who have followed the difficult and exciting day-by-day execution of one of Renzo Piano's most demanding projects (the Auditorium) to grasp the opportunity to present a more complete picture of his architecture for music.

The bid, which sometimes seemed desperate even to us, to get a halted, bogged down worksite, the object of ridiculous legal actions, back on track was also driven by indignation at not seeing what Renzo Piano has achieved in the rest of the world, in his long career, accomplished in Italy.

Now, Rome has at last risen to the challenge; the Auditorium exists and it is a great and successful synthesis of ideas, opportunities and projects that the great Italian architect (from Europe to Oceania, from Ircam in Paris to concert halls and cultural centres) in different ways and on different scales realized to serve the art of music: seeking new ties and links between the acoustics, the music itself and the construction of places to house them.

Piano believes these places must be conceived as musical instruments. Hence the great attention to detail, created with the care of a craftsman, but also the importance of the emotion that the project conveys and the idea it transmits - an architecture that is almost airy, light, suspended, that can quiver like the notes that will pervade these spaces.

The exhibition retraces 30 years of work and research, uninterrupted between 1970 and the present day. Theme boards, large models, blueprints and suspended pictures recall the work done by the Renzo Piano Building Workshop for music.

This precious material had to be seen, studied and enjoyed, not only by the visitors to an exhibition - albeit an important and unique one- but by a wider public. This is why Musica per Roma has published this book in the certainty of well-deserved and widespread circulation.

La produzione della Mostra e del Catalogo è di
Exhibition and Catalogue produced by
Musica per Roma MpR S.p.A.

Progetto e realizzazione della Mostra e del Catalogo
Exhibition and Catalogue project and execution

Renzo Piano Building Workshop
Susanna Scarabicchi
Giorgio Bianchi
Shunji Ishida
Elisabetta Trezzani

Stefania Canta
Chiara Casazza

Origoni & Steiner
Franco Origoni
Anna Steiner
con/with
Marta Biondi
Annalisa Treccani
Alice Passadore

Modelli/Models RPBW
Roman Aebi
Dante Cavagna
Fausto Cappellini
Stefano Rossi

DB Model di Doria e Bassignani

Testi/Texts
Aymeric Lorenté

Traduzioni/Translation
Charlotte Allain
Elisabetta Borromeo
Barbara Fisher

Riprese digitali/Digital imagery
Publifoto, Genova

Stampe speciali e allestimento
Special printing and design
Krea di Massimo Marelli, Cantù

Illuminazione/Lighting
iGuzzini Illuminazione

Per il catalogo/Catalogue
Fotolito/Photolitho by CSE, Milano
Stampa/Printed by Arti Grafiche Nidasio, Assago, Milano

© 2002 Renzo Piano Building Workshop
© 2002 Musica per Roma MpR S.p.A.
Tutti i diritti riservati. Riproduzione vietata.
All rights reserved. No reproduction.

Isbn 88-8223-054-6

Edizioni Lybra Immagine
via Vincenzo Monti, 6 - 20123 Milano
tel. 02.48000818, fax 02.48012748
email: lybra@lybra.it www. lybra.it

Fulvio Irace

Architettura Musicale

"Sarà interessante e forse bello vedere affacciarsi sul bordo di una collina artificiale, disegnata a teatro all'aperto, una famiglia di grandissime tartarughe o, se si vuole, di giganteschi coleotteri, così come li ha immaginati Renzo Piano per la nuova Città della musica di Roma". Più di un lustro è trascorso dall'auspicio di Alessandro Anselmi e dalla sua penetrante lettura del progetto vincitore del concorso per l'Auditorium di Roma: ma, per quanto comprensibilmente velate dalle altalenanti vicende del cantiere, le "great expectations" di quel lontano 1994 vengono oggi pienamente risarcite dalla parziale inaugurazione di due delle affusolate "coccinelle" del maestro genovese.

Come è noto dalle cronache dei progetti interrotti del secolo scorso, i cantieri a Roma sono spesso eterni come la fama della capitale: e a questa costante di eterna incompiuta non si è sottratta nemmeno l'ambiziosa impresa dell'Auditorium, con i suoi vari concorsi, le sue differenti localizzazioni, i suoi costanti rinvii. Tanto che, della storia infinita dell'illustre complesso musicale dalle origini ad oggi, in fondo la protratta realizzazione della cittadella nel Villaggio Olimpico rappresenta solo un trascurabile tratto, la cui felice soluzione sembra finalmente risarcire Roma di un'attesa che dura sin dal 1935.
Il 13 maggio del 1936, infatti, dopo ventotto anni di impeccabile servizio, con l'esecuzione dell'ultimo concerto, lo storico auditorium, costruito all'inizio del secolo sui ruderi del mausoleo di Augusto, venne dismesso e la celebrata sala liberty da 3500 posti smantellata per far posto al recupero dell'illustre rudere romano, perno della successiva composizione urbana di Antonio Muñoz e Vittorio Ballio Morpurgo. Proprio in previsione dell'incombente trasformazione, nell'aprile del 1934 venne bandito il concorso per la progettazione di un nuovo complesso musicale, cui si pensò di destinare lo scenario monumentale della passeggiata archeologica ai piedi dell'Aventino, tra il Circo Massimo e le Terme di Caracalla. Analogamente al concorso del Palazzo del Littorio su via dell'Impero (e su viale Aventino nel secondo grado), l'esito scontò le vaghezze e le contraddizioni di un progetto tanto ambizioso quanto poco rispettoso della realtà: e ciò nonostante i contributi delle ventotto proposte, tra cui notevoli per suggestione e perentoria chiarezza quelle di Libera, di Vietti, di Fariello, Muratori e Quaroni.
Costretta a prendere in affitto strutture già esistenti prima di approdare nel 1950 alla Sala di via della Conciliazione appena approntata da Marcello Piacentini, l'Accademia di Santa Cecilia non rinunciò tuttavia al suo originario proponimento, spingendo l'Amministrazione Comunale a mettere a disposizione un'area del Borghetto Flaminio per la realizzazione del sospirato Auditorium. Il bando di concorso del 1950 prendeva infatti in esame le previsioni del Piano regolatore del 1931 e sulla base del nuovo asse stradale ottenuto dal prolungamento di viale Tiziano fino a piazzale Flaminio immaginava una grande piazza in corrispondenza dei giardini antistanti il Ministero della Marina, su cui si sarebbe appunto dovuto affacciare il fronte del futuro complesso, con le sue sale da 3500 e 1000 posti, gli ambienti per le attività culturali, gli spazi per le attività amministrative dell'Accademia, etc.
Nonostante la maggiore accuratezza dell'impostazione urbanistica e funzionale, la competizione non incontrò il giudizio favorevole della giuria che non ritenne di poter nominare alcun vincitore, avviando così un procedimento di secondo grado e di ulteriore perfezionamento che si concluse nel 1953 senza nulla di fatto. Neanche la successiva ipotesi di localizzazione a ridosso di Monte Antenne ebbe miglior fortuna e si dovette quindi attendere lo scadere del secolo perché, tra il 1933 e il 1994, fosse scelta la definitiva sede del sito: un'area residuale adibita a parcheggio vicino ai grandi impianti sportivi del Villaggio Olimpico, a margine di Villa Glori.
Una localizzazione pratica - la disponibilità pubblica dei circa sette ettari a disposizione consentiva infatti di avviare immediatamente le procedure del concorso - ma di certo non altrettanto suggestiva e prestigiosa di quelle del passato: proprio per questo, però, più suscettibile di innescare un processo di riqualificazione ambientale capace di restituire all'architettura il suo più autentico ruolo di valorizzazione dell'esistente attraverso la creazione di un nuovo paesaggio.
Membro della giuria che ha assegnato a Piano la vittoria del concorso, Alessandro Anselmi ha suggerito una chiave di lettura del sito acuta e convincente, proponendo come incerta linea di demarcazione tra la trama rigorosa del quartiere Flaminio con i suoi blocchi di matrice ottocentesca e le unità edilizie del Villaggio Olimpico, sparse nello spazio secondo quella libertà di insediamento discontinuo tipico dell'idea moderna di città.
Un "vuoto", insomma, dove le due logiche si fronteggiano, ma anche si bilanciano, e il valore di massa del tessuto ottocentesco si contrappone al valore dei volumi plastici sotto la luce dei frammenti novecenteschi di Nervi, di Libera, di Moretti. Sensibile per vocazione alla tematica del "vuoto", Renzo Piano ne ha evidenziato con la sua proposta il potenziale attivo nella determinazione di un landscape sintetico e funzionale ma né invasivo né sostitutivo: librando le tre sale richieste dal bando sulla base di una piattaforma che ha il suo epicentro nell'anfiteatro all'aperto e il suo sfondo nel verde del parco, ha modellato uno skyline di gigantesche statue nella natura, come foglie instabilmente fermate in volo un attimo prima di posarsi al suolo.

Progetto "eccentrico" rispetto alle più note traiettorie dell'architettura di Renzo Piano negli anni 80, il complesso dell'auditorium di Via de Coubertin risente in maniera significativa della sua concomitanza con i lavori per il Tjibaou Cultural Centre di Nouméa, nella Nuova Caledonia - i cui preliminari precedono di circa due anni il concorso di Roma - e con le esplorazioni berlinesi per la sistemazione di Potsdamer Platz avviati nel 1992 e solo recentemente completati.
Terreno di frontiera tra le consapevolezze di due saperi diversi e forse conflittuali, il centro culturale Tjibaou è l'omaggio a una tradizione secondo la specificità di un sistema di interpretazione: conseguentemente ne deriva una progetto che è la messa in valore di questo spazio intermedio, non la sua cancellazione. L'assunzione dei codici e dei simboli delle popolazioni kanak si riflette nella loro rielaborazione secondo una prospettiva dichiaratamente esterna ma simpatetica: la messa a punto del sintagma della "capanna" come cassa armonica o arpa abitata. Deformata nella scala grazie al ricorso alla tecnologia occidentale, la "capanna" diventa l'unità di misura delle funzioni del programma, ma anche la figura di riferimento dello schema insediativo.
Come a Roma, l'individuazione di un percorso diventa l'elemento generatore di una piastra da cui si gemmano gli spazi: disteso ad arco, il segno di tale percorso configura il fronte verso la laguna da cui si innalzano le sagome asimmetriche delle "capanne", come sculture-feticcio per propiziare la benevolenza di qualche segreto dio della musica.
Questa infatti non si limita alla sola scatola allungata dell'auditorium, in posizione asimmetrica e seminterrata: in maniera poetica e pervasiva costituisce una caratteristica precisa dell'intero insediamento. La struttura in lamine di iroko - lo stesso legno utilizzato nelle finiture delle coperture dei "coleotteri" di Roma - funziona infatti come le corde di un'arpa che, sotto l'azione degli alisei, emettono suoni liberi, al di fuori di ogni prestabilita partitura.

Cercando paradossalmente di rendere visibile l'immateriale, Piano si è posto il problema della rappresentazione figurale di un'arte aniconica per sua definizione: per molti versi inedito nel suo approccio progettuale, questo tema si sposa con una acuita sensibilità per il valore metaforico dell'architettura, al di là della sua cristallina espressione come atto fondativo di un principio strutturale.
Nell'introduzione al quarto volume dell'"opera completa", Peter Buchanan ha richiamato l'attenzione sul progressivo slittamento della poetica di Piano da una concezione tettonica e strutturale della scatola costruttiva come assemblaggio di parti alla sua conformazione, sempre più confidente e sicura, come volume che si espande nel contesto. Quest'approccio alla determinazione dello spazio interno che declina nel rapporto con la copertura l'organicità di un gesto potentemente espressivo trova nei "gusci" di Nouméa e nei "carapaci" di Roma la sua epitome più convincente e compiuta e nella "agnizione" degli scompigliati "colossi" di Hans Scharoun, nella piana ventosa del Kulturforum berlinese, una sua significativa accelerazione.
Costruito spalla a spalla al retro della Neuestaatsbibliothek, il teatro Marlene Dietrich al fondo della Potsdamerstrasse risente della suggestione evocativa del maestro espressionista, non solo nell'agitata pelle dei pannelli metallici di rivestimento o nella forma leggermente incassata al centro, ma nell'insolita gestualità delle facciate spigolose e angolate, che riflettono una visione più confidente ed estroversa del volume, così come nella precisazione del sistema delle coperture, ricondotte dalla tradizione ingegneristica delle volte leggere al dominio dell'espressione architettonica.
Ma la citazione più diretta dell'invenzione spaziale di Scharoun è offerta proprio dalla sala da 2700 posti nella città della musica al Villaggio Olimpico: riservata ai concerti sinfonici e alla composita folla delle grandi orchestre, la maggiore delle tre "coccinelle" affacciate sul bordo dell'auditorium all'aperto rappresenta un'eclatante novità nell'abituale esplorazione di Piano della tipologia a "scatola di scarpe" adottata, con sottili varianti, nella maggior parte della sua consolidata esperienza di architetto della musica.

Inaugurata dalla "cave à musique" dell'Ircam parigino, ai piedi del Beaubourg, l'"architettura musicale" di Renzo Piano si è configurata sempre più come la costante tipologica di un autonomo filone progettuale: un tema emergente, rafforzato dalla condivisione di un comune stato di immaterialità. Quando nel 1983 Luigi Nono gli commissionò l'allestimento della veneziana aula di San Lorenzo per l'esecuzione del "Prometeo", Piano si trovò davanti al problema inedito di un'architettura effimera che penetrasse lo spirito della proposta musicale, assumendola per così dire dall'interno nella sua logica di autocostruzione, ben oltre quindi l'imperativo della semplice prestazione scenica. Come una cassa di violino sezionata, l'"arca" di legno immaginata da Piano rovesciava gli schemi della sala tradizionale, offrendo agli spettatori e ai musicisti il supporto di uno scheletro leggero, simile allo scafo di una barca in costruzione. All'impostazione di Nono che prevedeva l'interazione della musica con lo spazio, Piano rispondeva moltiplicando i punti di suoni con il movimento dei musicisti. Per modo che, se l'Ircam afferma il prototipo della " machine à musique", del laboratorio dei suoni, isolato dall'esterno ed autosufficiente, l'"arca" rappresenta il tentativo provvisorio di un lavoro sulla simultaneità tra spazio e musica, cui probabilmente l'esempio di Scharoun deve aver fornito imprevedibile sostegno e convincente dimostrazione.

Convinto che una buona architettura non è mai frutto del caso, ma il risultato di una laboriosa ricerca di perfezione, Renzo Piano si è soffermato a lungo e con tenacia sul tipo della "boîte à chassures" - poco frequente in Italia ma sufficientemente consolidato nella tradizione musicale internazionale - offrendone in più diverse occasioni una convalida e una conferma. Se l'esecuzione di una partitura sonora è il risultato dell'accanito esercizio della tecnica manuale, l'elaborazione spaziale è l'estenuante verifica di pratiche parziali sulle proporzioni, sulle tecniche, sui dettagli dei materiali ricondotti alla loro finale unitarietà. Come un compositore o uno scrittore, l'architetto genovese riconduce la ricerca di effetti alla pensosità di un lavoro, esercitato sulla scommessa della sottrazione per giungere al risultato della leggerezza con l'apparente freschezza di una spontanea inclinazione.
Partendo dall'auditorium nel cuore del ristrutturato Lingotto (1983-1995), da Torino a Berlino, a Nouméa, la catena di interventi si snoda come riproposizione consequenziale di una serie di slittamenti e variazioni - di carattere dimensionale, certo, ma anche di materiali e di condizioni di visibilità. A Cagliari, ad esempio, nel ventre vetrato del Credito Industriale Sardo (1985-1992), la sala traguarda all'esterno, anticipando una soluzione adottata nella sua forma più sensibile e raffinata nel recentissimo auditorium "Niccolò Paganini", a Parma. Confrontandosi con la materialità dello scarno reperto di archeologia industriale - l'ex-zuccherificio Eridania - il "Niccolò Paganini" ne coniuga lo scontro sino all'effetto di un evidente paradosso: una scatola vetrata, delimitata nei due lati lunghi da alte pareti di mattoni e interamente trasparente verso il parco circostante come una lanterna luminosa.
A Lodi, invece, nel complesso della Banca Popolare insediato all'interno di un recinto industriale dismesso, il "tamburo" mattonato dell'auditorium inverte questo schema e mentre fa da perno asimmetrico al nuovo "quartiere degli affari", esplora le potenzialità simboliche di un volume evocativo dell'immagine di uno strumento musicale e, allo stesso tempo, metafora di un gonfio forziere. In tal modo il tipico e il fuori norma, il tettonico e il volumetrico, si intrecciano, permettendo alla riproposizione canonica dello schema di ibridarsi, di volta in volta, nella messa a punto di soluzioni particolari, sensibili alle conformazioni di un sito, alle peculiarità di una commessa, alle sfide della comunicazione simbolica.
Da questo punto di vista, anzi, tutta la più recente produzione di Piano sembra la dimostrazione della flessibilità di un approccio che ha imparato a non essere prigioniero della sua forma ideale, riuscendo a far convergere nella peculiarità del singolo caso la proposta morale di un lavoro che non disperde i suoi risultati e convoglia, senza apparente sforzo o contraddizione, la risoluzione tecnica nella proposta espressiva.
Sempre più sensibile alla potenza declamatoria di un gesto deciso nello spazio, l'architettura recente di Piano ha conosciuto in quest'ultimo decennio una riconoscibile svolta, imparando a cimentarsi con la decifrazione del contesto in maniera poetica ed assertiva. Le metafore della nave incagliata nel NewMetropolis ad Amsterdam, dell'ala distesa nell'aeroporto di Kansai, delle vele spiegate nella torre dell'Aurora Place di Sydney, ad esempio, sono altrettante esercitazioni sulle potenzialità delle superfici curve che introducono nella severa strutturalità delle sue opere paradigmatiche la fascinazione del richiamo organico.

Concepite come strumenti musicali all'aria aperta, le tre sale del complesso romano compongono una natura morta con casse di violino appoggiate in una pausa di lavoro sul piano teso della piastra dei servizi. Una sorta di "architecture parlante" insomma, depurata certo delle sue più immediate referenzialità, ma non per questo meno riconoscibile od evocativa. Levigando al massimo della praticabilità le superfici curve di contenimento secondo la logica della riverberazione acustica e dello studio delle geometrie toroidali, le sale si definiscono come gusci, risolvendo unitariamente lo spazio e il volume. In tal modo la cassa armonica dell'auditorium non risulta più inserita, ma, per così dire, direttamente conformata: in particolare, memore della Philarmonie di Scharoun, la maggiore delle tre sale offre la suggestione di una cavità "intagliata", sapientemente modulata secondo un inviluppo di linee che , alla stessa maniera del maestro tedesco, traducono l'analogia musicale in uno spazio plastico. Ispirata alla tipologia "a vigne" della Philarmonie berlinese, la grande sala romana se ne differenzia tuttavia per l'idiosincratica interpretazione esercitata da Piano sulle masse ondulate di Scharoun. Rispetto alle sciabolate prospettiche della massa ondeggiante nel Kulturforum, essa afferma una sorta di visione "mediterranea" della linea dell'espressione: sinuosa nella sua levigata compattezza e surreale nella sua aerea sospensione al di sopra della macchia dei pini e delle essenze del bosco delle muse, ai piedi del viadotto stradale, ai margini del Palazzetto dello Sport e dello Stadio Flaminio.

Musical Architecture

"It will be interesting and perhaps charming to see a family of giant tortoises or, if you like, gigantic beetles - as imagined by Renzo Piano for the new Music city in Rome - peek out over the edge of an artificial hill, designed as an open-air theatre". More than five years have passed since Alessandro Anselmi voiced that hope and since his penetrating interpretation of the winning project in the competition for Rome's Auditorium. However understandably clouded by the alternating vicissitudes of the worksite, the "great expectations" expressed in that far-off 1994 are today fully rewarded by the partial inauguration of two of the Genoese maestro's tapering "ladybirds".

As everyone knows from the chronicles of the last century's interrupted projects, worksites in Rome are often as eternal as is the capital's fame. The ambitious undertaking of the Auditorium did not escape this constant of the eternally unfinished, with its various competitions, its different locations and its repeated postponements. Indeed, the protracted construction of the citadel in the Villaggio Olimpico actually represents just a "negligible passage" in the never-ending story of the illustrious musical complex from its origins to today. Its successful solution seems at last to repay Rome for a wait that has lasted since 1935.
On 13 May 1936, after twenty-eight years of impeccable service and after the last concert performance, the historic auditorium built at the beginning of the century over the ruins of the mausoleum of Augustus was abandoned and its celebated Art Nouveau hall with 3500 seats dismantled to allow the recovery of the illustrious Roman ruin, the centrepiece of the subsequent urban composition by Antonio Muñoz and Vittorio Ballio Morpurgo. With a view to the impending transformation, April 1934 saw the publication of a competition for the design of a new music complex, planned for the monumental surroundings of the archaeological promenade at the foot of the Aventino, between the Circo Massimo and the Terme di Caracalla. As happened for the competition for Palazzo del Littorio on Via dell'Impero (and on Viale Aventino secondarily), the outcome paid the penalty for a vague and contradictory project, as ambitious as it was irreverant to the reality - this despite the contributions made in twenty-eight proposals, including those of Libera, Vietti, Fariello, Muratori and Quaroni, which were notable for their appeal and incontrovertible clarity. Although forced to rent existing structures before coming, in 1950, to the Hall in Via della Conciliazione recently prepared by Marcello Piacentini, the Accademia di Santa Cecilia did not abandon its original intention and it pressed the municipal administration to make a part of Borghetto Flaminio available for the construction of the longed-for Auditorium. The 1950 competition notice took into consideration the expectations of the 1931 City plan and, on the basis of the new road axis created by prolonging Viale Tiziano as far as Piazzale Flaminio, imagined a large square by the gardens in front of the Ministero della Marina. The front of the future complex was to stand on this, with halls seating 3500 and 1000, spaces for cultural activities and for the administration of the Accademia, etc. Although this provided a more precise urbanistic and functional arrangement, the competition jury did not issue a favourable verdict and decided it could not appoint a winner, thus prompting a secondary procedure and further improvements that came to nothing in 1953. Not even the subsequent suggestion of locating it close to Monte Antenne had better luck and they had to await the close of the century before the final location for the site was chosen, between 1933 and 1994. This was a surplus area used as a car park, close to the large Villaggio Olimpico sports amenities on the edge of Villa Glori.
This was a practical location - public availability of the approximately seven hectares meant the competition procedures could be started immediately - but certainly not as appealing and prestigious as those of the past. However, it was for this very reason more likely to trigger a process of environmental development that would give the architecture back its most authentic role of enhancing the existing via the creation of a new landscape.
On the jury that chose Renzo Piano as the winner of the competition, Alessandro Anselmi offered a penetrating and convincing key of interpretation to the site and proposed it as an uncertain boundary line between the rigorous weave of the Flaminio district, with its 19th-century blocks, and the buildings of the Villaggio Olimpico, scattered around the space with that discontinuous freedom of installation typical of the modern concept of the city.
It was a "void", in which the two approaches faced but also balanced each other, and the value as a mass of the 19th-century fabric was countered by the value of the plastic volumes, in the light of the 20th-century fragments by Nervi, Libera and Moretti. Sensitive by vocation to the theme of the "void", with his proposal Renzo Piano highlighted the active potential in the determination of a synthetic and functional landscape that was neither invasive nor a substitute. By balancing the three halls required by the competition on the base of a platform with its epicentre in the open-air amphitheatre and its backdrop in the park vegetation, he fashioned a skyline of gigantic statues in nature, like leaves unsteadily halted in flight a moment before reaching the ground.

An "eccentric" project compared with the best-known directions of Renzo Piano's architecture in the 1980s, the auditorium complex on Via de Coubertin has been significantly influenced by the fact that it came at the same time as the work on the Tjibaou Cultural Centre in Nouméa, in New Caledonia - the preliminaries of which precede the Rome competition by about two years - and the explorations in Berlin for the rearrangement of Potsdamerplatz, commenced in 1992 and only recently completed.
Border terrain between the awareness of two different and perhaps conflicting forms of knowledge, the Tjibaou cultural centre pays homage to a tradition using the specificity of a system of interpretation. The result is a project that highlights rather than cancels this intermediary space. The adoption of the codes and symbols of the Kanak people is reflected in their re-elaboration in an openly outsider's but sympathetic view to develop the syntagm of the "cabin" as a sound box or inhabited harp. Distorted in scale by the use of western technology, the "cabin" becomes the unit of measurement of the programme's functions, but also the figure of reference for the layout. As in Rome, the identification of a route generates a clearing from which the spaces bud; lying in a curve, the sign of this route shapes the front overlooking the lagoon, from which rise the asymmetric contours of the "cabins", like sculptures - a fetish to attract the goodwill of some secret god of music.
Actually, this is not limited to the elongated box of the auditorium alone, situated in an asymmetrical and lowered position; poetically and pervadingly, it constitutes a precise feature of the whole installation. The Iroko laminae structure - the same wood used to finish the roofs of the "beetle" in Rome - works like the strings of a harp that, stimulated by the trade-winds, emit free sounds, different from any set score.

Paradoxically trying to make the immaterial visible, Renzo Piano addressed the problem of the figurative representation of an anti-iconic art by definition;

in many ways new in its design approach, this theme harmonises with a keen sensitivity to the metaphoric value of architecture, over and above its crystalline expression as a founding act of a structural principle.
In the introduction to the fourth volume of the "complete works", Peter Buchanan drew attention to how Piano's poetics have gradually slipped from a tectonic and structural concept of the building box as the assembly of parts to its increasingly confident and sure conformation as a volume that expands in the context. The most convincing and complete epitome to this approach to the determination of internal space - which defines the organic unity of a powerfully expressive gesture in the relationship with the roof - lies in the Nouméa "shells" and the "carapaces" of Rome; it is also significantly boosted by the "recognition" of Hans Scharoun's disarranged "giants" on the windy plain of Berlin's Kulturforum.
Built shoulder to shoulder with the rear of the Neuestaatsbibliothek, the Marlene Dietrich theatre at the bottom of Potsdamerstrasse was influenced by the evocative charm of the expressionist maestro, not just in the restless skin of the metal cladding panels or the form, slightly sunken in the centre, but in the unusual gestures of the sharp-cornered and angular facades that reflect a more confident and extrovert vision of the volume, and also in the precision of the roof system, which thanks to the engineering tradition of light vaults dominates the architectural expression once more.
The most direct reference to Scharoun's spatial invention is, however, offered by the hall with 2700 seats in the music city at the Villaggio Olimpico. Reserved for symphonic concerts and the composite large orchestra crowd, the largest of the three "ladybirds" that overlook the edge of the open-air auditorium represents something strikingly new in Piano' customary exploration of the "shoebox" type, adopted with subtle variations in most of his consolidated experiences as an architect of music.

Inaugurated by the Ircam "cave à musique" in Paris, at the foot of the Beaubourg, Renzo Piano's "musical architecture" has increasingly taken on the form of a type-constant of an autonomous design trend - a consequential theme, reinforced by the fact that it shares a common state of immaterialism. When, in 1983, Luigi Nono commissioned the design of the San Lorenzo hall in Venice for the performance of "Prometeo", Piano was faced with the new problem of ephemeral architecture that penetrates the spirit of the proposed music, drawing it into its logic of self-construction, far beyond, therefore, the imperative of the mere stage operation. Like the split body of a violin, the wooden "ark" imagined by Piano upset the patterns of the traditional hall, offering spectators and musicians the support of a light skeleton, similar to the hull of a boat under construction. Piano responded to Nono's approach, which envisaged interaction between music and space, by multiplying the points of sound by moving the musicians. So that, Ircam establishes the prototype of the "machine à musique", the sound workshop, isolated from the outside and self-sufficient, but the "ark" represents a temporary attempt to work on the synchronism between space and music, which must probably have been unexpectedly supported and convincingly demonstrated by Scharoun's example.

Convinced that good architecture is never the product of chance, but the result of the laborious search for perfection, Renzo Piano has lingered long and tenaciously on the "boîte à chassures" type - one seldom found in Italy but quite well established in international music tradition - and has offered confirmation of it on several different occasions. If the execution of a sound score is the result of the assiduous practice of the manual technique, then spatial elaboration is the extenuating verification of partial practices on proportions, techniques and the details of the materials taken to their final oneness. Like a composer or a writer, the Genoese architect leads the search for effects to the pensiveness of a work, using the risk of subtraction to attain a light result with the apparent freshness of spontaneous inclination.
Starting from the auditorium in the heart of the restructured Lingotto (1983-1995), from Turin to Berlin and Nouméa, the chain of intervention unfolds as the consequential reproposition of a number of deviations and variations - of a dimensional nature, it is true, but also regarding materials and conditions of visibility. In Cagliari, for instance, in the glazed depths of the Credito Industriale Sardo (1985-1992), the hall peeps outwards, anticipating a solution adopted in its most sensitive and refined form in the very recent "Niccolò Paganini" auditorium, in Parma. Having to deal with the materialness of a plain artefact of industrial archaeology - the former Eridania sugar factory - the "Niccolò Paganini" auditorium conjugates the clash to attain the effect of an obvious paradox - a glazed box, enclosed on the two long sides by high brick walls and entirely transparent towards the surrounding park like a lantern.
At Lodi, on the other hand, the brick "drum" of the auditorium in the Banca Popolare complex, installed inside an abandoned industrial enclosure, inverts this pattern. Acting as the asymmetric lynchpin of the new "business district", it explores the symbolic potential of a volume that evokes the image of a musical instrument and is, at the same time, a metaphor of a bulging strongbox. In this way, what is typical and what is different from the norm, the tectonic and the volumetric, entwine allowing, each time, hybridisation of the canonical reproposition of the pattern to define special solutions that are sensitive to the shape of the site, the peculiarities of a contract and the challenges of symbolic communication.
In this sense, indeed, all of Renzo Piano's most recent output seems to demonstrate the flexibility of an approach that has learnt not to remain a prisoner of its ideal form. It manages to draw into the peculiarity of a single case the moral proposal of a work that does not dissipate its results and that, with no apparent effort or contradiction, channels the technical solution into an expressive proposal.
Ever more sensitive to the declamatory power of the purposeful gesture in space, Renzo Piano's recent architecture has, in this last decade, made a recognisable turn, learning to decipher the context poetically and assertively. The metaphors of the ship run aground in the NewMetropolis in Amsterdam, the outstretched wing at Kansai airport, the unfurled sails of the tower in Aurora Place, Sydney are as many exercises on the potential of the curved surface that bring the charm of the organic reference into the severe strutturality of his paradigmatic works.

Conceived as open-air musical instruments, the three halls in the Rome complex compose a still life, with violin bodies resting as if during a break in rehearsals on the outstretched piano of the service area. A sort of "talking architecture" cleansed, of course, of its most immediate references, but not for this any less recognisable or evocative. Polishing the curved surfaces as much as is practicable according to the rules of acoustic reverberation and the study of toroidal geometry, the halls are defined as shells, resolving space and volume in one. In this way the sound box auditorium is no longer inserted, but directly shaped; mindful of Scharoun's Philarmonie, the largest of the three halls, in particular, provides the appeal of a "carved" hollow, skilfully modulated in an envelopment of lines that, as did the German maestro, translate the musical analogy into plastic space. Inspired by the "vine" type of Berlin's Philarmonie, Rome's great hall differs from it in the idiosyncratic interpretation exercised by Piano on Scharoun's wavy masses. Compared with the perspective slashes of the undulating mass in the Kulturforum, it affirms a sort of "Mediterranean" vision of the line of expression - sinuous in its polished compactness and surreal in its airy suspension above the patch of pine trees and woods of the Bosco delle muse, at the foot of the road viaduct, on the edge of the Palazzetto dello Sport and the Flaminio Stadium.

Della creazione

Un musicista, un architetto e un fisico discutono di metodi e leggi del processo creativo. Scoprendo straordinarie similitudini fra campi artistici e scientifici affatto diversi. L'importanza dei maestri e della riflessione individuale.

Luciano Berio, Renzo Piano, Tullio Regge

Luciano Berio: Ogni forma di creatività non è mai solo un fatto individuale. La creazione ha bisogno di dialogo, di interlocutori, e quella musicale ha addirittura bisogno di interpreti nel senso più concreto del termine. Ma gli interlocutori non si inventano e non si inventa neanche il pubblico: sono parte di un processo culturale ed evolutivo e, in uno Stato che funziona, di un progetto educativo. La creatività musicale implica un dialogo, non sempre pacifico, con il pubblico. E implica, naturalmente, capacità di ascolto. Ho spesso l'impressione che a buona parte del pubblico italiano di oggi non siano stati dati i mezzi necessari per ascoltare, per capire e per avere desiderio di capire ciò che ascolta - che non si creino cioè le condizioni per un dialogo creativo e sensibile. Siamo forse un paese di geni ma, soprattutto oggi, siamo anche un paese culturalmente disastrato dove, per esempio, non esiste un'educazione musicale di base.
Ci sarebbero tante cose nuove da fare e tanti spazi vuoti da riempire anche perché abbiamo una storia di creatività musicale molto particolare, per non dire anomala. Per quasi duecento anni in Italia il pensiero musicale si è fermato. Nell'Ottocento - quando in Germania si "inventava" la musica moderna con Beethoven, Wagner, Mahler e Schönberg - noi abbiamo prodotto musiche bellissime di creatori straordinari come Rossini e Verdi che però non hanno influito sul pensiero musicale in quanto tale. La stessa cosa, mi sembra vale anche per la letteratura, a parte l'eccezione costituita da Leopardi. Quando in Francia si inventava la pittura moderna noi avevamo invece i bellissimi cavalli e i paesaggi di Fattori. Non c'è niente di male, suppongo, nel non dover subire pesantissime eredità creative (le realtà nazionali sono fatte anche di questo). Questa relativa leggerezza dovrebbe però sollecitare e favorire - in una prospettiva più europea - forme nuove di responsabilità culturale. Auguri, dunque. C'è anche la creatività scientifica, naturalmente, ma non spetta a me parlarne perché si evolve su prospettive che la musica non conosce. C'è il progresso scientifico, per esempio, ma non c'è quello musicale. La musica di Monteverdi non è meno progredita di quella di Debussy. Sarebbe interessante cercare di istituire un parallelo fra musica e architettura. Io ho sempre cercato di assimilare il mio lavoro a quello di un architetto - anche se un architetto che sbaglia può finire in galera mentre gli sbagli del musicista non arrivano a tanto…

Renzo Piano: In effetti, la musica è l'architettura più immateriale che possa esistere. È incredibile quanti elementi del fare musica e del fare architettura siano simili. Ambedue hanno una struttura primaria, poi entrano nel dettaglio… Tu stesso, caro Berio, usi spesso una metafora architettonica. Hai detto che la musica è un edificio cui aggiungi continuamente stanze, finestre, ali nuove. Hai parlato anche di "non finito" come tema che si applica ad entrambe le arti, hai sostenuto che l'architettura perfetta, immutabile è una cosa morta.
Noi architetti dobbiamo porci il problema molto concreto del perché oggi le città siano tanto brutte. Uno dei fattori essenziali è la fretta. Oggi le città si costruiscono con grande rapidità. Le città sono fatte di case, e quando le case si costruivano un po' per volta, ognuna aveva la sua storia, la sua individualità.
C'era una qualità diffusa. Adesso si fa tutto insieme in gran fretta, e la qualità ne soffre. Città intere nascono in quattro-cinque anni grazie al progresso tecnologico. Un progresso che si accoppia a una sorta di analfabetismo culturale e morale. Si fa presto perché la tecnica lo consente, ma anche perché i consigli di amministrazione e i sistemi politici hanno fretta. È come se le mamme dovessero fare un figlio in un mese…
Le tecniche sono diventate velocissime, banali, è scomparsa la capacità di eseguire correttamente, è scomparsa la consapevolezza che la bellezza delle città è in rapporto strettissimo con la società. Voglio dire, ragionando da antropologo, che la città brutta produce gente brutta, così come la brutta gente fa brutte città. Insomma, l'architettura ha un rapporto con il carattere di chi la abita e la frequenta, e viceversa. Prendiamo Genova. Questa città segreta nella gente e nelle case è una città compressa tra mare e monti che ha instillato nei genovesi un modo di essere introverso. Sembra quasi che la gente e la città siano lo specchio l'una dell'altra. Le periferie di oggi sono brutte perché sono lo specchio di un certo tipo di società che ha prodotto quelle periferie…

Tullio Regge: È verissimo, c'è influenza reciproca fra il manufatto architettonico e chi l'abita. Io l'ho sperimentato al Politecnico di Torino. A differenza dell'Università, talmente frammentata da impedire qualsiasi contatto tra docenti, nel Politecnico tutto è concentrato. E quei colleghi che vedevo una volta all'anno in qualche seduta solenne, adesso li incontro tutti i giorni al bar…

Piano: Comunque non voglio negare la responsabilità degli architetti, per carità. Il movimento moderno, inizialmente, dopo un Ottocento troppo decorato, ha sognato l'architettura "pulita". E se vai a vedere cosa ha significato in pratica questa tendenza all'architettura "limpida", scopri che ha fatto muri bianchi, senza decorazioni. Senza nulla togliere all'importanza di questo movimento - cosa che avrei difficoltà a fare - credo che successivamente si sia tradito il less is more traducendolo semplicemente con il fare il meno possibile, che andava bene con il contesto immobiliarista; e così si è perso l'amore per il dettaglio, per la dignità dell'insieme.
Per stare a un esempio concreto di creatività architettonica, io sto lavorando a Potsdamerplatz, nel cuore di Berlino. Tutti sanno che negli anni Venti era il centro del mondo. Cinema, musica, teatro, tutto confluiva nella metropoli tedesca. Adesso quel mitico centro è diventato un deserto. Prima le bombe della Seconda Guerra Mondiale, poi gli urbanisti che nel dopoguerra, spinti dalla voglia di innocenza, hanno rasato al suolo quel che restava in piedi, infine il Muro. È vero che quell'area di Berlino era stata bombardata e bruciata, ma bastava ricostruire gli edifici dov'erano per rifare quella città mitica. Oggi devo operare in un deserto. Non ho riferimenti, solo il fantasma degli anni Venti. Qui entra in gioco l'invenzione. Che poi significa buttarsi avanti in maniera spericolata, significa sperimentare.
A Potsdamerplatz questo sperimentalismo sta nel linguaggio, nel lavorare con i materiali che appartengono sì alla storia - come ad esempio il cotto - ma sono rielaborati dalla tua scrittura. E così esprimono leggerezza, trasparenza, grazie ai nuovi strumenti di cui disponi.
Noi abbiamo stabilito una sorta di decalogo per Potsdamerplatz, anche se in realtà costruiamo solo la metà dei 14 o 15 nuovi edifici. Ma tutti gli architetti che lavorano in quel cantiere seguono delle direttrici comuni per quanto riguarda la larghezza delle strade o l'altezza degli edifici o l'ampiezza delle piazze, o anche l'uso dei materiali, come ad esempio la terracotta. Esprimiamo un concetto architettonico unitario, in cui, su una base comune ciascun architetto ha poi il suo grado di libertà. Ma rispettando la storia della città, sapendo che ogni città è un fatto unico, straordinario, prodotto dal sommarsi di tante storie che vi si sovrappongono e vi sono riflesse. Qualcuno diceva che la città è memoria pietrificata. Sì, ma sapendo che la tua opera si inserisce in un processo continuo, in un non-finito in cui ci sono elementi liberi di evolversi. Ci sono architetti che immaginano costruzioni perfette, in cui quando pulisci devi rimettere il posacenere dove c'è il puntino rosso. Non è il mio genere. Io credo di dover introdurre valenze libere, eretiche nel disegno della città, per renderla più vera, più viva.
Vorrei fare una postilla sul concetto di progresso

nell'arte. Io credo che solo gli stupidi possano pensare che nell'arte, e specialmente in architettura, si debba essere rigorosamente originali. Non si possono inventare sempre cose nuove. Quante volte hai detto, caro Berio, che chi crea trascrive, ruba, riadatta… Sono d'accordo. La tradizione è fondamentale in architettura come in tutte le arti, e pensare di farne a meno non ha senso.

Regge: Non sarei tanto sicuro che il progresso scientifico è considerato da tutti un valore acquisito. A guardare bene la gente spende più soldi per l'astrologia che per l'astronomia. Comunque, quando in campo scientifico si parla di progresso bisogna intendersi. C'è una pulsione dell'individuo verso la conoscenza, e ce n'è un'altra, diversa, verso il dominio sulle cose. Ne scaturiscono due tipi di progresso che sono ovviamente collegati, nel senso che non sarebbe possibile il progresso tecnologico senza il progresso nella conoscenza. Per esempio, l'ultima generazione di grandi telescopi sarebbe stata inconcepibile senza gli avanzamenti nel campo dell'informatica o del laser. Ma restano due tipi di progresso distinti. E per il pubblico l'accrescimento continuo del proprio bagaglio di conoscenze scientifiche è estremamente difficile. Se prendiamo le trasmissioni televisive di divulgazione, quelle di Piero Angela, per esempio, sono tutte incentrate su biologia, geografia, zoologia, cioè scienze che si prestano ad essere visualizzate. Manca invece quasi totalmente la divulgazione della matematica, della fisica. Ci sono delle isole oscure che rimarranno tali per il grande pubblico.

Eppure i frutti della scienza, nella loro applicazione tecnica, arrivano dappertutto. E così si crea l'illusione che anche la scienza pura, la conoscenza in sé, siano dappertutto.

Ma non è così.

Feyerabend ha sostenuto che tutte le avventure della scienza, da Aristotele in poi, sono sullo stesso piano di ogni altra attività umana, nel senso che l'astrologia ha lo stesso valore dell'astronomia. Ma Feyerabend trascura un carattere essenziale che distingue la produzione scientifica dalle varie forme artistiche: noi scienziati siamo vincolati a determinare regole. Così come un architetto deve rispettare certe norme per edificare e quindi non può fare una casa solo perché gli piace, noi dobbiamo confrontarci con i dati empirici. Nella *Logica della scoperta scientifica*, Popper distrugge il mito per cui gli scienziati partano dai dati empirici per costruire una teoria ex-novo, con procedimento puramente logico, deduttivo, ad andamento obbligatorio. Popper fa a pezzi le velleità positiviste. Mostra come invece si parta da dati incompleti e sulla base di informazioni già note per produrre nuove conoscenze. Un po' come l'architetto, che, come dicevi tu, caro Piano, si riallaccia continuamente alla tradizione. Ciò che caratterizza una teoria scientifica, costruita per tentativi, è la sua capacità di reggere alla falsificazione. Sopravvive solo la teoria che resiste alle confutazioni.

Come vedete, ci sono delle costanti nel processo creativo umano, sia scientifico che artistico. Io credo che l'uomo agisca nei diversi campi secondo procedimenti mentali abbastanza comuni. Non si crea mai dal nulla. Quando ci si prova, ad esempio in architettura, si producono mostri come Brasilia. Quella città mi ha suscitato subito un senso di repulsione assoluto. Un ambiente in cui la gente vive in cassoni di vetro verde e aria condizionata, dove non c'è un posto per incontrarsi, che non siano la fermata del bus o il negozio. Meglio la foresta…

Piano: È vero. Infatti il meccanismo di formazione della città ha molto a che fare con la crescita biologica. Non si può affrettarla senza che la qualità ne risenta.

Regge: Brasilia è il paradigma di quello che tu dici occorre evitare in architettura. Progettare in breve tempo in uno spazio prima deserto, è una creazione totalmente artificiale. Al suo opposto c'è il caos della favela, l'anti-Brasilia, distante solo pochi chilometri dalla capitale. Due ambienti diversi, ma entrambi disumani.

Torniamo alla musica. La mia educazione musicale è avvenuta a partire da una famiglia in cui il nonno ascoltava esclusivamente opera, mentre mio padre aveva una cultura musicale scarna ma essenziale: "Ricordati, la musica si divide in due categorie, la leggera e la pesante", dove quest'ultima sarebbe la musica classica. In realtà, tutta la mia formazione è venuta ascoltando musica alla radio e prendendo lezioni di piano, perché così imponeva il decoro. Andavo a lezione da un maestro che ricordo con affetto perché mi ha insegnato l'alfabeto della musica. Suonava al Regio e teneva sul tavolo una foto con dedica di Toscanini…

Berio: Hai ragione a ricordare questo duro tirocinio, perché spesso si considera la creazione musicale solo come il frutto di una idea romantica tanto per il compositore quanto per l'esecutore.

Piano: Certo, la tecnica è fondamentale. Quando ascolto suonare Maurizio Pollini o Salvatore Accardo capisco che possiedono tanta di quella tecnica da potersi persino permettere di dimenticarla. Chiudono gli occhi e suonano. Solo chi padroneggia alla perfezione la tecnica può permettersi di astrarsene.

Berio: Naturalmente vi sono differenze tra un campo e l'altro. Per esempio, tra la ricezione dei processi delle forme musicali e la ricezione delle forme architettoniche. Per sua natura la musica può essere ascoltata in diversi modi. Ci sono melodie che sottendono complessi processi musicali. Tu l'ascolti in maniera elementare, ma sei consapevole dell'enorme lavoro che c'è dietro, in termini di processo armonico, frase, rapporti metrici. L'architettura può essere letta invece in maniere diverse ma più omogenee, perché essa è legata all'uso che ne facciamo. Non c'è molta variazione nell'uso che puoi fare di un edificio. La musica si presta invece anche nel tempo ad essere percepita, consumata e assimilata in modo diverso. Dipende dal modo in cui ti ci avvicini, dalle tue motivazioni, ma dipende anche dal fatto che la musica è sempre gravida di processi evolutivi. Poi, la musica deve essere sempre eseguita: voglio dire che esistono molte mediazioni tra la creazione, l'atto musicale e l'ascolto. Noi ascoltiamo oggi la musica di Beethoven in modo totalmente diverso da come l'ascoltava lui ai suoi tempi. Basti pensare solo a come si è modificata l'esecuzione materiale della musica quando improvvisamente, al principio dell'Ottocento, si è cominciato ad eseguirla in ambienti grandi. La prima sala da concerto è stata costruita ad Amburgo nel 1813, prima la musica veniva eseguita in luoghi occasionali nelle chiese o negli ambienti privati.

La stessa idea dell'orchestra come organismo fisso e immutabile è moderna. Ai tempi di Haydn a Londra l'orchestra poteva avere dodici violini come anche quaranta. E infatti si creava una continuità fra musica da camera e musica orchestrale che adesso si è perduta con il trionfo del feticismo dell'orchestra.

Adesso prevale la specializzazione, c'è la musica da camera separata da quella sinfonica.

C'è però una similitudine fra musica e architettura che riguarda l'uso dei materiali. In architettura come in musica si scoprono materiali più leggeri, trasparenti. Io non credo che musica e architettura siano cambiate perché hanno inventato materiali nuovi. No, penso che quei materiali esistessero già e siano stati utilizzati perché c'è stata un'apertura nel pensiero musicale e in quello architettonico.

Come nella musica elettronica, ad esempio, che si è servita di strumenti già esistenti ma che avevano altre funzioni, come gli oscillatori o i generatori di suoni. Lo ha fatto perché il pensiero musicale voleva approfondire il controllo delle più piccole particelle musicali, e allora ha usato strumenti in grado di assicurare quel controllo. La musica si è trovata allora a poter coordinare l'estremamente piccolo e l'estremamente grande. Un po' come l'architettura, che per essere buona deve legare il lavoro dell'artigiano con il martello in mano a quello dell'operaio che costruisce le pareti…

Piano: Hai ragione. In architettura non si comincia mai dal generale per arrivare al particolare. È un doppio movimento, dal generale al particolare ma anche dal particolare al generale. Si comincia e si costruisce anche a partire da frammenti…

Berio: Ma questi frammenti sono già il risultato di un pensiero…

Piano: Ma certo! Tu sai benissimo come lavorava Italo Calvino, quante annotazioni prendesse sui pezzetti di carta. Poi da quei segmenti nasceva un tutto che scendeva di nuovo al dettaglio. È un movimento circolare, continuo. È il contrario dell'architettura accademica. All'accademico non interessano i dettagli perché ci sono i tecnici che li fanno, per lui basta la grande idea, il resto è roba minima, è roba per gli altri.

Berio: C'è un aspetto importante della creatività musicale che vorrei ricordare. Oggi noi musicisti siamo interessati ad aprire la musica ai più diversi eventi. C'è dappertutto una potenzialità musicale, ce n'è in ogni anfratto acustico, dal più banale come un rumore della natura al più complesso storicamente come il suono di uno strumento musicale. Il pensiero musicale ti permette di coordinare, di dare un senso a questa ampiezza di materiali possibili.

Questo processo non ha un prima e un dopo, non è deduttivo. Anzi, è sottrattivo: noi musicisti siamo carichi di informazioni complesse, portiamo con noi la storia della musica e possiamo creare un oggetto compiuto a forza di levare, come avrebbe detto Michelangelo.
Una volta non era così. Beethoven scriveva un tema, questo tema sviluppava diverse funzioni, era rotto, trasformato, entrava in conflitto con altri temi. In quel caso si poteva strutturare una narrazione del processo creativo. Oggi è diverso. Non c'è un punto di partenza e uno di arrivo, c'è una globalità di pensiero dalla quale il compositore trae diverse funzioni, forme, processi riconoscibili, significati musicali.

Piano: In architettura forse è più semplice. Un architetto ha un compito sociale chiaro, fa sempre parte dell'organizzazione della società. Fin dai tempi antichi, c'era colui che si preoccupava di cacciare e colui che procurava il riparo. L'architetto è un Robinson Crusoe, oggi come ieri. Mettiamo che tu debba costruire un Museo a Houston, Texas. Bisogna che tu vada lì, prenda possesso del luogo, capisca qual è il clima, l'atmosfera, il genius loci. Devi catturare lo spirito di quel luogo per costruirvi qualcosa di bello e di utile. E come dicevo prima non parti mai dal generale per arrivare al particolare, ma ti rendi conto che a Houston, Texas usare il legno ha un senso perché così si fa fin dai tempi del Far West. E quindi parti da lì per imbandire sul tavolo una specie di cena luculliana in cui ci sono tutti gli elementi necessari alla tua architettura, c'è la gente, la memoria, la società, i materiali - i materiali, insisto, sono una sorgente straordinaria di intuizione e di lavoro.
Ma hai anche i costi e i tempi... Quando devi impegnarti in un lavoro da tremila miliardi, come a Berlino per la Potsdamerplatz, rischi di rimanere incastrato in un sistema che può trasformarti in un giullare. Se non sai tenere il passo, diventi un signore a cui chiedono qual è il colore da dare alle facciate, ti chiedono di mettere in bella quello che gli altri vogliono imporre. A questo punto devi possedere una tua attrezzatura, una tua storia, una tua credibilità. Non puoi andare disarmato ad una simile battaglia. In poche parole, devi essere essenziale al progetto per non perderne il controllo.
È una strana miscela la nostra professione, un incrocio di arte e di tecnica. L'architettura ha un suo linguaggio specifico, e bisogna saperlo difendere. Per esempio, la leggerezza, la trasparenza, secondo me non sono qualità strettamente fisiche, sono qualità dello spirito, della mente, dello spazio. In architettura, il più materiale dei mestieri, contano moltissimo gli elementi immateriali. La luce e le trasparenze sono elementi che non tocchi, eppure sono decisivi. L'atmosfera non la costruisci alzando muri e basta, la crei con la luce e le sue variazioni e vibrazioni. È straordinaria la capacità metamorfica che la luce attribuisce all'architettura! Quante analogie ci sono con la musica, in questo senso dell'immateriale!
Più pensiamo ai nostri diversi mestieri, più ne comprendiamo le analogie. Arti e scienze, insisto, hanno molti punti in comune. Alcuni li abbiamo già toccati. Ma pensiamo anche al fatto che noi tre, io architetto, tu fisico, tu musicista, a un certo punto finiamo sempre per trovarci a guardare nel buio. Se hai coraggio di fissarlo a lungo, dopo un po' la pupilla si dilata e cominci a vedere che cosa c'è in quel buio, o dietro quel buio. Anche tu, Regge, che sei uno scienziato, anche tu guardi nel buio e scopri che non sempre due più due fa quattro.
Per una persona che fa un mestiere creativo c'è sempre la tendenza alla trasgressione dell'ordine. Abbiamo bisogno di un chiaro ordine logico e organizzativo, di regole, salvo poi divertirci a "disubbidire" le obbligazioni, un gusto perverso che grazie al Cielo esiste e che aiuta a crescere. Quando tu fai un'architettura pensi prima di tutto ad ordinarla, a che tutto sia perfetto, e poi ti diverti a disordinarla. Di questa inclinazione fa parte anche quel gusto del "rubare", quell'arte come rapina e non come invenzione assoluta. E che anche tu, Berio, hai sviluppato, per esempio in una conferenza a Cambridge sul tema della trascrizione della musica. Anche copiare può essere creativo, se poi aggiungi qualcosa di tuo.
Creativo è anche il lavoro di squadra. Ci sono momenti in cui sei solo davanti al tuo foglio di carta, e ci sono momenti corali in cui inventi insieme agli altri, e alla fine non sai più cosa è tuo. Non c'è un momento della creazione in cui il mio ufficio si riempie di squilli di tromba, no, molto spesso ci accorgiamo dopo un anno o due di quello che abbiamo veramente fatto. È una mistificazione questa dell'epicità del momento creativo...
Eppoi, non creiamo il mito del team work. Ci sono dei momenti insostituibili di riflessione personale e di sintesi. In generale, credo che il modello della bottega rinascimentale sia ancora attuale per il mio tipo di lavoro. Mi sembra un modello straordinariamente moderno. Nessuno di noi lavora da solitario, e allo stesso tempo il lavoro di squadra da solo non basta.
C'è poi un altro aspetto della creazione, che io chiamo il progetto laterale. Parto con un obiettivo e poi arriva un disturbo, una deviazione che mi fa imboccare una nuova strada cui prima non pensavo affatto.

Berio: E lungo quel percorso trovi cose che sono più importanti dell'obiettivo che ti eri prefisso e del quale alla fine ti dimentichi.

Regge: È il caso della scoperta della radiazione fossile, uno dei dati osservativi più importanti per la teoria del Big Bang. La storia è questa: nel 1965 due ricercatori dei Bell Laboratories, Penzias e Wilson, notarono un rumore di fondo che disturbava le antenne che essi stavano costruendo per comunicare con i satelliti nello spazio. Cercarono di eliminarlo allestendo antenne sempre più direzionali, raffreddando con azoto liquido l'apparato ricevente in modo da eliminare i rumori nei circuiti, ma senza successo. Finché si resero conto che il rumore non proveniva dagli strumenti, ma dallo spazio esterno. Per loro fortuna, a venti chilometri da lì c'era l'Università di Princeton, dove insegnava il professor Robert Dicke il quale da anni cercava i soldi per costruire un'antenna capace di studiare la radiazione di fondo. Dicke si rese conto che i due ricercatori l'avevano già scoperta. Purtroppo il premio Nobel non l'ha preso Dicke ma quei due, che non cercavano affatto la radiazione fossile e non si aspettavano affatto di rendersi protagonisti di una delle maggiori scoperte osservative in cosmologia.

Berio: In musica c'è stata un'esperienza di diverso tipo che però ci aiuta a capire questo lato della creatività. Dopo la guerra, nell'esperienza della musica cosiddetta seriale domina l'ideale della perfetta unità. Tutti gli elementi della musica sono coesi, come ad esempio in Webern, nella sua musica coerente come un cristallo. Ma gli strumenti concettuali adoperati per quel tipo di musica mi sono poi serviti per scoprirne di totalmente altri, io stesso li ho applicati, per esempio, a musiche del Centro Africa, lontanissime da Webern.

Piano: Nel lavoro di progettazione architettonica capita spesso che in fase esecutiva cambino dettagli anche importanti. Bastano errori tecnici come un vetro troppo scuro per mandare a monte tutta una ricerca di trasparenza, di leggerezza.

Regge: Lo stesso accade a noi scienziati quando incontriamo un ostacolo imprevisto che ci obbliga a cambiare direzione. Certo, in fisica teorica siamo più flessibili, non ci sono i tremila miliardi di Potsdamerplatz dietro...
Ma vorrei ricordare un personaggio fondamentale per ognuno di noi, in ogni campo della creazione: il maestro. Tutti abbiamo avuto un maestro che ci ha influenzato e indirizzato, ci ha rimproverato e fustigato quando sbagliavamo. E io sono profondamente grato ai miei maestri dell'Università. Queste persone sono entrate in me, sono parte del mio lavoro.
Apro una parentesi, a proposito di maestri e pedagogia. Berio ricordava prima il deficit di educazione musicale in Italia. Certo sarebbe bello che anche da noi, come in America, i bambini cominciassero a fare musica dall'asilo. Sarei però contrario a introdurre nei licei l'ora di musica perché diventerebbe subito odiosa agli studenti. Una cosa è assorbire una materia vivendola e godendola, altra è subirla per precetto. Io l'ho imparata perché al liceo qualcuno mi ha accompagnato ai concerti e mi ha aperto nuovi orizzonti. Ma se me l'avessero insegnata al liceo avrei avuto una reazione di rigetto. Poi se uno dovesse anche passare l'esame di musica, imparando a memoria in che anno è nato Mozart quando ha scritto questa o quella sinfonia, penso che il rifiuto sarebbe totale.
Purtroppo nella scuola italiana si rendono odiose le materie più straordinarie. Anche l'insegnamento della scienza, della matematica, della geometria è estremamente pedante. Si comincia dal principio di similitudine dei triangoli, poi magari ti spiegano cos'è il termometro - "è lo strumento che misura la temperatura" - e cos'è la temperatura - "è quella grandezza fisica che si misura col termometro"...
Bisogna rifuggire dalle imposizioni dall'alto. Mi viene in mente un collega inglese di altissimo livello, Michael Atiyah, celebre per aver scoperto insieme a Peter Singer il "teorema dell'indice". Un giorno mi ha portato nel suo ufficio, mi ha preso per

mano e mi ha guidato nell'empireo del pensiero matematico. L'ho trovato meraviglioso, perché già sapevo molta matematica. Quando la spiegazione è finita, ti viene subito la nostalgia per quel paradiso che hai toccato per un attimo. Sì, qualcosa rimane, però l'atmosfera si è dissolta. Qualcosa di simile mi è successo una volta mentre a casa cercavo una stazione che trasmettesse musica classica. Ad un certo punto compare Leonard Bernstein e comincia a spiegare una sinfonia di Mozart, eseguendo al piano dei brani, facendomi entrare completamente in quell'atmosfera magica. Quasi un effetto psichedelico, un'emozione fortissima.

Piano: A proposito di maestri, io ho la fortuna di averne avuti tanti, a cui ho "rubato" moltissimo, con fredda predeterminazione.

Un giorno io che studiavo a Firenze mi presentai a Milano da Franco Albini perché pensavo che fosse lui il maestro da cui imparare. Ho lavorato molto nella sua bottega e in quella di Marco Zanuso, da studente. E ad entrambi ho "rubato" moltissimo, come pure ho preso molto da Pier Luigi Nervi - che pure ho visto una volta sola in vita mia. Ma tra i miei maestri devo annoverare anche l'ingegnere e architetto francese Jean Prouvé, o anche Louis Kahn. L'elenco sarebbe piuttosto lungo, anche perché a ognuno di questi maestri ho preso qualcosa e l'ho messa nel mio zaino.

L'esperienza e il contatto con i maestri mi hanno insegnato anche quello che non si deve fare. In architettura, un cattivo professionista è quello che non va nei cantieri, non segue i lavori fino in fondo, dal dettaglio alla totalità. L'architetto è prima di tutto un costruttore. Se non si sporca le mani, non è un architetto.

Berio: Lo stesso vale per il mio mestiere. Musicista vero è chi raggiunge quel livello di conoscenza per cui la tecnica musicale diventa anche automatismo.

Piano: Uno degli architetti che più mi hanno stimolato è Hans Scharoun. Lavorare a Berlino, dove lui ha costruito la Biblioteca e la Filarmonica, è per me una sfida straordinaria. Scharoun è stato di una sfrontatezza incredibile quando in quello spazio deserto nel cuore di Berlino ha realizzato una sorta di montagna sacra. Della Filarmonica mi affascina soprattutto la forma pentagonale. Entri nel vestibolo, nell'atrio, e respiri il pentagono. È il contrasto con l'esterno - da fuori sembra una fabbrica di biciclette… una sfrontatezza davvero geniale.

Ma l'aspetto più interessante per me è la sistemazione semi-baricentrica dell'orchestra. Scharoun ha capito che in un edificio per la musica con 2.700 posti occorre creare un senso di partecipazione del pubblico. Il segreto dell'orchestra al centro è di consentire al pubblico di vedere se stesso dall'altra parte della sala e di riconoscere con ciò la focalità dell'orchestra.

Nel progettare l'Auditorium di Roma ho sentito che l'esperienza di Sharoun non poteva essere messa da parte. Bisognava partire da lì. Sarebbe stato demenziale dire che siccome l'ha già fatto Scharoun non è possibile rifarlo. Altrimenti, a che cosa servirebbero i maestri? Io ho avuto la fortuna di avere nel mio gruppo l'acustico che ha lavorato con Sharoun, uno "scienziato pazzo" amante della musica con cui si può discutere molto bene. Per l'Auditorium siamo partiti dall'esperienza di Berlino, ma all'impostazione semi-baricentrica dell'orchestra abbiamo aggiunto un lavorio molto attento sulla scocca di copertura, che di fatto diventa una cassa armonica. Un po' come abbiamo fatto al Lingotto di Torino, solo che lì avevamo un contenitore rettangolare, rappresentato dall'edificio stesso, al quale sarebbe stato assurdo disobbedire. A Roma invece siamo liberi, in un grande spazio, e quindi possiamo creare questa sorta di strumento musicale.

Racconto questo per mostrare quanto sia importante crescere sull'esperienza altrui, salire, nani come siamo, sulle spalle del gigante per vedere più lontano.

Berio: Il rapporto con i maestri ci spinge a riflettere anche sul tema dell'obbedienza o della disobbedienza ai canoni. Nel campo della musica classica, ad esempio, c'è un ideale di ordinato equilibrio di forme. Nel momento della creazione tu puoi scartare leggermente, come faceva Beethoven. Le sue "disobbedienze" rendevano il codice classico più vivo. In fondo, qualsiasi cosa facciamo "disobbediamo" sempre, la creazione è fatta di tante piccole "disobbedienze" in una cornice di ordine sostanziale…

Piano: Tu stai parlando di una "disobbedienza" di linguaggio, artistica, all'interno del fare…

Berio: Non parlo del linguaggio, ma della realizzazione…

Piano: Sì. In fondo l'architettura nuota in questa "disobbedienza", perché essa è un servizio, nel senso che serve a qualcosa. L'architetto deve "disobbedire" al banale, all'ovvio, e anche un po' al cliente. Quando da ragazzacci facemmo il Beaubourg a Parigi con Richard Rogers fu a modo nostro una "disobbedienza". In una città che agli inizi degli anni Settanta era dominata da istituzioni culturali estremamente serie e intimidatorie, noi abbiamo "disobbedito". Abbiamo introdotto nella città questo gigantesco meccano, questa fabbrica, questa raffineria. Tutto il Beaubourg è una "disobbedienza" a cominciare dal non utilizzare tutto lo spazio per dar luogo ad una piazza. Volevamo uscire dal cliché del museo come intimidazione. E se oggi il museo è cambiato, se non è più un luogo inaccessibile, credo che sia anche grazie a quella rottura delle regole.

Un caso opposto di rottura delle regole è stata la creazione a Houston, Texas, città ultramoderna, città del progresso, di un museo che è un luogo di silenzio, quasi religioso. Abbiamo contrapposto il nostro progetto ad una città scalmanata.

Io sono sempre stato un ragazzaccio disobbediente, la mia mamma la facevo sempre piangere… Ma la "disobbedienza" artistica è poi una disobbedienza civile, perché se vuoi fare qualcosa finisci sempre per disobbedire. Se ubbidisci sei finito.

Regge: Allora ti do un esempio di obbedienza. Penso al Mausoleo sulla Piazza Rossa a Mosca. Un edificio di quelli tipicamente sovietici, bruttissimi. Chi lo guarda attentamente, scopre che le due metà dell'edificio hanno le finestre di tipo diverso. Stalin, a cui spettava il parere finale, appose la sua firma senza scegliere tra le due varianti riprodotte sulla parte destra e sinistra del progetto. Sicché gli architetti, morti di paura, obbedirono, realizzando nello stesso edificio i due tipi di finestra.

Berio: Nella musica la "disobbedienza" si riflette anche nell'ascolto. Io penso che un ascoltatore educato viva la musica come un individuo vive una città. La musica, come la città, può essere penetrata e interpretata in maniera diversa. Ci sono molti modi di avvicinarsi a un processo musicale, spetta all'ascoltatore sceglierne uno suo. L'ascolto dunque è un atto creativo.

Poi c'è la disobbedienza creativa dell'esecutore. Così un grande violinista come Isaac Stern può suonare Mozart in maniera insolita perché vi proietta esperienze romantiche. Sono arbitrii assolutamente normali, anche se avvengono in un istante.

Regge: Posso citare esempi analoghi in campo scientifico. Ad esempio Einstein tirò fuori, esattamente novant'anni fa, un lavoro sull'effetto fotoelettrico da cui venne poi sviluppato il concetto di fotone, il laser etc etc. Molti pensarono che fosse un passo falso, perché aveva tirato di nuovo in ballo l'ipotesi crepuscolare della luce che era poi quella di Newton, apparentemente seppellita all'inizio dell'Ottocento dalla teoria ondulatoria della luce, che sembrava definitiva e comprovata da tanti dati empirici. Quello di Einstein sembrava un rigurgito antistorico, un errore da dilettante.

Per diciotto anni Einstein combatté una battaglia solitaria contro il resto della comunità scientifica internazionale. Fino a che non fu provata sperimentalmente la validità della sua tesi, che gli valse nel 1923 il premio Nobel. Ecco un caso di disobbedienza vincente, o se vogliamo di "pensiero laterale", nel senso che attraverso una deviazione improvvisa si raggiungono risultati straordinari e imprevisti.

Qualcosa del genere capitò anche a Bohr, quando propose il suo modello atomico, una sorta di sistema planetario con gli elettroni che ruotano intorno al nucleo come i pianeti intorno al sole. Il guaio di quel modello era che girando intorno al nucleo gli elettroni avrebbero dovuto irraggiare energia elettromagnetica e precipitare nel nucleo. Secondo i calcoli, questo sarebbe dovuto accadere in una frazione di secondo. Ebbene, Bohr "disobbedì", sostenne che quelle orbite esistevano e che qualcosa evidentemente impediva il collasso. Solo diversi anni dopo la nuova meccanica permise di scoprire come l'atomo sia stabilizzato.

Piano: Ci sono momenti in cui la disobbedienza si esprime nell'invasione di campo, nel passaggio da una disciplina creativa all'altra. È un tralignare intelligente, che ci permette di "rubare" da tutti quanti. Altra cosa è cominciare a fare ciascuno il mestiere dell'altro…

Regge: È successo a Goethe, grandissimo poeta, ma una frana dal punto di vista della fisica sperimentale. Quando ha costruito la sua teoria dei colori, non ha tenuto conto della lezione di Newton. Il quale aveva capito subito che quando si scompone la luce con un prisma la si deve far passare attraverso una fenditura sottilissima per sfrangiare la luce nello spettro. Goethe invece ha preso una bella fenditura molto larga, con il risultato che i colori si mescolavano e appariva una fascia centrale bianca, un po' di sbavacci sul bordo e poi il buio. È su questo errore ha costruito tutta una teoria da Sturm und Drang, da lotta fra luce e tenebre da cui scaturiscono i colori… Più tardi ci si è messo anche Schopenauer, con il risultato di peggiorare ancora la situazione.

Piano: Comunque, se non ci fosse qualche forma di deviazione, di scarto, di "disobbedienza", il nostro mondo sarebbe governato dal banale. In architettura, specialmente, dove spesso incontri dei committenti che hanno una visione assolutamente banale del progetto architettonico e della città.

Del resto, questo valeva anche nel passato. Per esempio a Siena, in piazza del Campo, vi sono torrioni non simmetrici. Un magnifico esempio di "disobbedienza" rinascimentale.

Regge: In fisica la violazione della simmetria ha un'importanza estrema. Un grande matematico, Hermann Weyl, sosteneva che non vale né la simmetria assoluta né la totale mancanza di simmetria. Nella fisica funziona semmai la simmetria rotta, che contiene anche la memoria della simmetria che non c'è più. D'altronde anche in musica le regole dell'armonia sono fatte per essere violate.

Penso che nessuno di voi abbia fatto un corso di creatività. Io invece l'ho fatto. Sono stato trascinato in un seminario tenuto da un ex medico di Malta, Edward De Bono, il quale gestisce corsi di creatività diretti soprattutto ai manager, ai direttori d'azienda, al mondo degli affari. L'ho trovato abbastanza divertente. De Bono è il teorico del "pensiero laterale". Io ho ascoltato le sue lezioni e poi gli ho detto: "Senti, se una persona non è creativa non può diventarlo. È come tirare fuori sangue da una rapa". "Ah, ma infatti io non ci provo neppure", mi ha risposto, "tutto quello che faccio è di stabilire un procedimento adattato essenzialmente alle aziende e ai consigli di amministrazione". In sostanza, si tratta di prendere una decisione operativa, di andare direttamente al punto, schematizzando, semplificando. La parte realmente creativa è quella finale. Si descrive un problema in termini non creativi, poi se ne cambia una parte e si cerca di difenderla. Esempio:" Un ristorante è un posto dove si va a mangiare e poi si paga". Togliamo il "poi si paga": secondo De Bono, questo è il tipo di logica creativa che ha dato origine alla carta di credito.

Oppure: "Il bicchiere è un contenitore d'acqua con il fondo piatto". Togliamo: "con il fondo piatto". Ne nasce un bicchiere sistemato in un posto fisso, sopra un buco del tavolo, in modo da permettere ad un robot di muoverlo per lavarlo. Naturalmente il cliente è obbligato a mettere il bicchiere in quel luogo preciso, altrimenti non è più un bicchiere.

Ancora: in Australia avevano il problema della durata eccessiva delle telefonate dagli apparecchi pubblici e allora gli hanno messo un pane di piombo dentro. Così, con un costo minimo hanno ridotto la durata delle telefonate. Ecco solo qualche esempio di "pensiero laterale".

Piano: Io a scuola di creatività non ci sono mai andato. Prima ho fatto l'elogio della memoria, dell'aggancio a ciò che già esiste. Ma non vorrei trascurare quella scintilletta che scatta quando uno fa una scoperta e che funziona un po' come una droga. Sono quei momenti in cui il supporto del passato non conta. Sei un acrobata senza rete.

Per esempio, io comincio con uno schizzo - senza non sarei mai capace - ma non so esattamente dove andrò a finire. Mi lascio guidare, scopro che quello che ho scritto non è poi così male e vado avanti. Una specie di short writing. La mano ti conduce alla meta. È un meccanismo che una volta scoperto non controlli più.

In quei momenti sei con le spalle al muro: o ce la fai, o fallisci. E se non ce la fai, vai ad ingrossare le file di quel grande esercito di rassegnati che continuano a spiegarti che tutto è già stato fatto e che conviene continuare a ripetere le vecchie esperienze. Quindi, attenzione: non si può fare a meno del passato, ma il meccanismo della creatività scatta quando ti mancano dei pezzi e non li puoi "rubare". A questo proposito, la tecnica del dimenticare, dell'allontanarti facendo lavorare l'inconscio è molto produttiva. Quella tecnica che credo usassero i maestri dei mosaici di Ravenna, i quali dovevano lavorare per un certo tempo concentrati sullo spazio da decorare, poi ogni tanto si allontanavano per capire da uno sguardo d'assieme quello che stavano facendo. È una tecnica che uso anche io di necessità, quando mi sposto da un ufficio all'altro, da Parigi a Berlino, o in qualche altro cantiere. Ma anche il week-end per me è preziosissimo. È la salita in mongolfiera che ti permette di prendere le distanze mentali dalla quotidianità. È la scoperta della lentezza, di cui tanto si è parlato recentemente. Una lentezza che io collego al salire, all'allontanarsi, al prendere un attimo di respiro. È durante il viaggio in mongolfiera che sospendi il lavoro analitico e lasci sedimentare qualcosa di inconscio. È una lentezza che contiene in sé una grandissima velocità, quella dei circuiti interni del pensiero lavorato rapidissimamente dall'inconscio che ti permette d'improvviso di ricollegare i punti fondamentali d un progetto. Non so fino a che punto questo inconscio sia guidato da un mestieraccio che ho ormai interiorizzato, ma certo questi momenti di creatività fulminea si collocano negli strati profondi della mente.

Berio: Io sono refrattario al discorso sull'inconscio. Non me ne occupo. Non so che farmene e non ho grande interesse per quello che fanno gli altri in maniera eccessivamente diretta ed esplicita. Non è un caso che ancora adesso la psicoanalisi abbia difficoltà a essere considerata scienza. E poi io rimprovero a Freud di aver abbassato il livello della vita. Nel senso che ha portato tutto sotto la cintura… a parte tutto, l'uso della psicoanalisi ha qualcosa di moralmente riprovevole, è qualcosa che toglie responsabilità all'individuo.

Regge: Nella nostra discussione abbiamo ignorato il ruolo della solitudine, della riflessione e della capacità di isolarsi al momento opportuno per porre assieme tutti i pezzi del mosaico. I grandi scienziati ma anche i grandi creativi hanno sempre avuto questa grande capacità, a volte ovvia a volte ben nascosta. Quando il matematico Eulero perse l'unico occhio che aveva e rimase cieco non si disperò e disse: "Una distrazione in meno". Einstein aveva l'abitudine di congedarsi mentalmente dicendo: "Voglio pensare un pochino". Hilbert aveva grandi problemi di comunicazione con il prossimo ma non con la matematica. Altri miei colleghi di altissimo valore giungono quasi all'autismo. In questo mio elogio non intendo ridurre la creatività alla meditazione solitaria. I veri creativi sono coloro che sanno alternare momenti di riflessione con il dialogo e anche con il furto, nel senso buono citato da Piano.

Piano: Vorrei insistere ancora su un punto: io credo, in definitiva, che la creatività non sia patrimonio di questo o quel ramo dell'arte o del sapere. È ciò che accomuna la specie umana, dallo scienziato al musicista, dall'agricoltore all'artigiano. Del resto, un sociologo americano, Peters, ha enunciato un principio universale - il "Peters' principle" - in base al quale ognuno migliora il proprio lavoro fino a toccare il livello di incompetenza. Il segreto della creatività è molto semplice: vai avanti fino a che sei bravo. Poi ti fermi, ed è davvero finita.

(Da MicroMega, n° 3/95).

On the subject of creation

A musician, an architect and a physicist discuss methods and rules of the creative process - discovering remarkable similarities between completely different artistic and scientific fields. The importance of the maestro and personal reflection.

Luciano Berio, Renzo Piano, Tullio Regge

Luciano Berio: No form of creativity is ever just an individual fact. Creation needs dialogue, interlocutors, and music creation also requires interpreters in the most concrete sense of the word. But, you cannot invent interlocutors any more than you can invent the audience. They are part of a cultural and evolutionary process and - in a functioning State - an educational project. Musical creativity entails a, not always pacific, dialogue with the public - and of course it entails the ability to listen. I often have the impression that a considerable portion of today's Italian public have never been given the means required to listen, to understand and to feel the desire to understand what they are listening to - i.e. the conditions for a creative and sensitive dialogue are not created. Italy is, perhaps, a country of geniuses but, especially today, it is also in cultural terms a stricken country where, for instance, basic musical education is non-existent.
Many new things could be done and many empty spaces could be filled because it has a very special - if not anomalous - history of musical creativity. For nearly two hundred years musical thought stood still in Italy. In the 19th century - when modern music was being "invented" in Germany with Beethoven, Wagner, Mahler and Schönberg - we Italians produced beautiful music by extraordinary creators such as Rossini and Verdi although they did not influence musical thought as such. The same thing, I believe, applies also to literature, apart from the exception constituted by Leopardi. While they were inventing modern painting in France we had Fattori's beautiful horses and landscapes. There is nothing wrong, I presume, with not being weighed down by heavy creative legacies (national realities are also made of this). This relative lightness ought, however, to stimulate and favour new forms of cultural responsibility, in a more European perspective. Good luck. Scientific creativity also exists, of course, but it is not my place to speak of this because it evolves on prospects that are unknown to music. There is, for instance, scientific progress but not musical progress. The music of Monteverdi is no less advanced than that of Debussy. It would be interesting to try to draw a parallel between music and architecture. I have always tried to compare my work with that of the architect - although an architect who makes a mistake may end up in prison; a musician's errors are not so serious…
Renzo Piano: Indeed, music is the most immaterial architecture that can exist. It is incredible how many similarities there are between making music and making architecture. Both have a primary structure, then they go into the detail… You, dear Berio, often use an architectural metaphor. You said that music is a building to which you constantly add rooms, windows and new wings. You have also spoken of "non-finite" as a theme that applies to both the arts; you have sustained that perfect, unchangeable architecture is something dead.
We architects must address the very concrete problem of why today's cities are so ugly. One of the essential factors is haste. Today cities are built rapidly. Cities are made of houses, and when houses were built one at a time, each one had its own story, its personality.
Quality was widespread. Now everything is done together in great haste, and quality suffers. Entire cities are created in four-five years thanks to technological progress - which is coupled with a sort of cultural and moral illiteracy. Things are done quickly because technology permits it, but also because the boards of directors and the political systems are in a hurry. It is as if mothers were to have a babies in a month…
The techniques have become fast, banal; the ability to execute correctly has disappeared as has the awareness that the beauty of a city is closely related to society. I mean to say, speaking as an anthropologist, that an ugly city makes people ugly, just as ugly people make a city ugly. In other words, architecture has a relationship with the characters of those who live in and use it and vice versa. Let us take Genoa. This city with its secret people and houses is a city squashed between sea and mountains that has instilled in its people an introvert nature. It is almost as if the people and the city were a reflection of each other. Today's suburbs are ugly because they are the reflection of a certain type of society that has produced those suburbs…
Tullio Regge: It is very true, there is mutual influence between the architectural construction and those living in it. I experienced this at Turin Polytechnic. The University is so fragmented that it prevents all contact between lecturers, whereas everything is concentrated at the Polytechnic. The colleagues that I used to see once a year at some formal session, I now meet every day in the cafe…
Piano: I do not want to deny the responsibility of the architects, certainly not. Initially, after 19th century over-decoration, the modern movement dreamt of "clean" architecture. If you go and look at what this trend towards "crystal-clear" architecture actually meant, you will discover that it produced white walls, with no decoration. Without wanting to take anything away from the importance of this movement - something I would find it hard to do - I believe that the concept of less is more was subsequently betrayed by translating it simply into doing as little as possible. This suited the real estate context and in this way we lost the love for detail, for the dignity of the whole.
Let me just make a concrete example of architectural creativity; I am working on Potsdamerplatz, in the heart of Berlin. Everyone knows that this was the centre of the world in the 1920s. Cinema, music, theatre, everything converged on the German metropolis. Now, that legendary centre has become a desert. First the World War II bombs, then the town-planners who were driven by the desire for innocence after the war and razed what had been left standing to the ground; then came the Wall. It is true that it was a part of Berlin that had been bombed and burnt, but all they had to do was reconstruct the buildings where they were in order to rebuild that legendary city. Today, I have to work in a desert. I have no references, only the ghost of the 1920s. This is where invention comes into play. This means throwing yourself recklessly forward; it means experimenting.
At Potsdamerplatz this experimentalism lies in the language, in working with a material that belongs to history - such as fired bricks - but modified by your writing. So it expresses lightness and transparency, thanks to the new instruments available.
We have established a sort of handbook for Potsdamerplatz, although in actual fact we are only building half of the 14 or 15 new buildings. All the architects working on that site follow common guidelines regarding the width of the roads, the height of the buildings, the size of the squares, or even the use of materials, such as terracotta. We express a unitary architectural concept, in which, on a common basis each architect has his own degree of freedom. But all respect the history of the city, in the knowledge that every city is unique, extraordinary, produced by the sum of many overlapping stories that are reflected in it. Someone said that the city is petrified memory. Yes, but you know that your work is part of a continuous process, a non-finite with elements that are free to evolve. Some architects imagine perfect constructions, in which clean ashtrays must be put back on the red dot. This is not my style. I believe we have to introduce free values, heretical in the design of a city, to make it more real, more alive.
I would like to add a comment on the concept of progress in art. I believe that only the foolish can think that you must be strictly original in art, and especially in architecture. You cannot keep inventing new things. How many times have you said, dear Berio, that those who create transcribe, steal,

adapt… I agree. Tradition is fundamental in architecture as in all the arts, and to think of doing without it has no sense.
Regge: I am not so sure that everyone considers scientific progress an acquired value. To be honest, people spend more money on astrology than on astronomy. Nonetheless, when people speak of progress in the scientific field we must understand. There is a drive towards knowledge in the individual, and there is another, different drive, to dominate things. The result is two types of progress that are of course linked, in the sense that technological progress would not be possible without progress in knowledge. For example, the last generation of large telescopes could never have been conceived without the advances in the field of information or laser technology. But they remain two different types of progress. It is extremely difficult for the public to constantly increase its store of scientific knowledge. If we take informative television programmes, those by Piero Angela for instance, they all focus on biology, geography, zoology, i.e. sciences that lend themselves to visualisation. There is an almost total absence of information on mathematics and physics. There are dark islands that will remain such for the public at large.
Yet the fruits of science, in their technical application, are spread everywhere. This creates the illusion that pure science, knowledge itself, is also everywhere. But this is not so.
Feyerabend argued that all the scientific adventures, from Aristotle on, are on a par with every other human activity, in the sense that astrology is as important as astronomy. But Feyerabend neglects an essential characteristic that distinguishes scientific production from the various art forms - we scientists are obliged to determine rules. Just as an architect must respect certain building regulations and cannot build a house merely because he likes it, we must come to terms with empirical data. In *The Logic of Scientific Discovery*, Popper destroys the myth by which scientists start from empirical data and construct a theory *ex-novo*, using purely logical, deductive, procedures with an obligatory course. Popper destroys the positivist inclinations. He shows how you start from incomplete data and produce new knowledge on the basis of information already known. A little like the architect, who, as you said, dear Piano, draws constantly on tradition. What marks a scientific theory, constructed by attempts, is its ability to withstand falsification. Only theories that cannot be disproved survive.
As you see, constants exist in the creative human process, both scientific and artistic. I believe that Man acts in the various fields using fairly common mental procedures. Nothing is ever created out of nothing. When you try to do so, in architecture for instance, you produce monsters like Brasilia. That city immediately aroused in me a sense of total revulsion. An environment where people live in green glass crates with air conditioning, where there is no place to meet up except the bus stop or the shop. A forest is better…
Piano: It's true. The mechanism of the formation of a city has a great deal to do with biological growth. It cannot be hurried but at the expense of quality.
Regge: Brasilia is a paradigm of what you say must be avoided in architecture. A rapid design in a space that was formerly deserted produces a totally artificial creation. At the other extreme lies the chaotic *favela*, the anti-Brasilia, just a few kilometres from the capital. Two different environments, but both inhuman.
Regge: Let us return to music. My musical education began with a family in which my grandfather listened only to opera; my father had a poor but basic musical culture: "Remember, music can be divided into two categories, light and serious", in which the latter was classical music. In actual fact, all my training consisted in listening to music on the radio and taking piano lessons, because this was proper. I took lessons from a maestro whom I remember with affection because he taught me the musical alphabet. He played at the Regio and kept a photograph with a dedication by Toscanini on the table…
Berio: You are right to remember this harsh apprenticeship, because often musical creation is considered merely the fruit of a romantic idea as much for the composer as for the performer.
Piano: Certainly, technique is fundamental. When I listen to Maurizio Pollini or Salvatore Accardo playing, I understand that they possess so much technique that they can afford to forget it. They close their eyes and play. Only those with a perfect mastery of technique can afford to disengage their thoughts.
Berio: Of course, differences exist between one field and another. Between the reception of the processes of musical forms and the reception of architectural forms, for instance. By its nature, music can be listened in different ways. There are melodies that subtend complex musical processes. You listen in an elementary manner, but you are aware of the huge work that lies behind it, in terms of harmonic process, phrase and metrical relations. Architecture can, however, be read in different but more homogeneous ways, because it is bound to what use we make of it. There is not much variation in the use you can make of a building. Music, on the other hand, also lends itself to being perceived in time, consumed and assimilated in a different ways. It all depends on how you approach it, your motivations; but it also depends on the fact that music is always fraught with evolutional processes. Moreover, music must always be executed. I mean there are many intercessions between the creation, the musical act and the listening. Today, we listen to the music of Beethoven in a totally different manner from how he listened to it in his times. Suffice to consider how the material execution of music was modified when suddenly, people started playing it in large spaces, in the early 19th century. The first concert hall was built in Hamburg in 1813; before that, music was played in occasional locations, in churches or in private spaces.
The very idea of the orchestra as a fixed and unchangeable organism is modern. In Haydn's times in London the orchestra could have twelve violins or forty. In fact a continuity between chamber music and orchestra music was created but has now been lost with the triumph of orchestra idolatry. Now specialisation prevails; there is chamber music, which is separated from symphonic music.
There is, however, a similarity between music and architecture that concerns the use of the materials. In architecture, as in music, lighter, more transparent materials are discovered. I don't believe that music and architecture have changed because new materials have been invented. No, I think those materials already existed and have been used because of an opening in musical thought and in architectural thought.
As in electronic music, for instance, that has used existing instruments that had different functions, such as oscillators or sound generators. It did this because the musical thought wanted to increase the control of the smallest musical particles, and so it used instruments capable of providing that control. Music found itself capable of co-ordinating the very small and the very large. A little like architecture, which to be good must combine the work of the craftsman holding a hammer with that of the labourer who builds the walls…
Piano: You are right. In architecture you never start from the general and work down to the detail. It is a dual movement, from the general to the detail but also from the detail to the general. You start and you construct sometimes commencing with fragments…
Berio: But these fragments are already the product of a thought…
Piano: Certainly! You know very well how Italo Calvino used to work - how many notes he took down on pieces of paper. Then those segments generated a whole that descended into detail once more. It is a continuous circular movement. It is the opposite of academic architecture. The academic is not interested in details because technicians do those; all he wants is the great idea; the rest is the least of his worries, it is for others to do.
Berio: There is an important aspect in musical creativity that I would like to remind you of. Today, we musicians are interested in opening music to the most varied events. There is potential music everywhere, in every acoustic crevice, from the most banal such as a noise in nature to the historically most complex such as the sound of a musical instrument. The musical thought allows you to co-ordinate and give a sense to this range of possible materials. This process has no before and after, it is not deductive. Indeed, it is subtractive: we musicians are loaded with complex information; we carry with us the history of music and we can create a completed object by taking away, as Michelangelo would have said.
It was not always like that. Beethoven wrote a theme; this theme developed various functions; it was broken and transformed; it entered into conflict with other themes. In that case it was possible to construct a narration of the creative process. Today

it is different. There is no point of departure or point of arrival; there is a global thought from which the composer draws various functions, forms, recognisable processes and musical meanings.
Piano: In architecture it is, perhaps, simpler. An architect has a clear social task and is always part of the organisation of society. Since ancient times, someone did the hunting and someone made sure there was shelter. The architect is a Robinson Crusoe, today as in the past. Imagine having to build a Museum in Houston, Texas. You have to go there, take possession of the location, understand the climate, the atmosphere and the *genius loci*. You must capture the spirit of that place in order to construct something beautiful and useful there. As I was saying earlier, you never start from the general and work down to the detail, but you realise that the use of wood is senseless in Houston, Texas, because they have been doing that since the times of the Far West. Therefore, you start from that and lay the table with a sort of sumptuous dinner comprising all the elements necessary for your architecture. There are the people, the memory, the society, the materials - materials, I must stress, are an extraordinary source of intuition and work.
But you also have the costs and the deadlines… when you must undertake a job worth three thousand billion lire, as for Potsdamerplatz in Berlin, you risk becoming caught up in a system that can turn you into a clown. If you cannot keep up, you become the man they ask what colour they are to paint the façades; they ask you to include the impositions of others in the final drawings. At this stage, you must have your own equipment, your own story and your own credibility. You cannot go into such a battle unarmed. In short, you must be essential to the project or you will lose control of it.
Our profession is a strange mixture, a cross between art and technology. Architecture has its own specific language and you must know how to defend it. For instance, lightness and transparency - I do not see these as strictly physical qualities. They are qualities of the spirit, of the mind, of space. In architecture, the most material of trades, immaterial elements are extremely important. Light and transparency are not elements you touch, yet they are crucial. You do not construct atmosphere just by raising walls; you create it with light and its variations and vibrations. The capacity for metamorphosis that light bestows on architecture is extraordinary! There are so many analogies with music, in this sense of the immaterial!
The more we think of our different trades, the more we understand the analogies. Arts and sciences, I must insist, have many points in common. We have already touched on some. But let us think also of the fact that we three, me architect, you physicist, you musician, at a certain point we always end up looking into the darkness. If you have the courage to look long at it, after a while the pupil dilates and you start to see what is in that darkness, or behind that darkness. You too, Regge, as a scientist, you too look into the darkness and discover that two and two do not always make four.
People who do creative jobs always have a tendency towards transgression of the order. We need a clear logical and organisational order, rules, only then we amuse ourselves by "disobeying" the obligations, a perverse taste and thank goodness it exists and helps us to grow. When you make architecture, you first think of creating order in it; all has to be made perfect and then you enjoy throwing it into disorder. The pleasure in "stealing" also comes under this inclination, art as robbery and not as absolute invention. You, Berio, developed this concept in a conference on the subject of music transcription in Cambridge. Copying can also be creative, if you add something of your own.
Team work is also creative. There are times when you are alone in front of your sheet of paper, and there are choral moments when you invent together with others, and in the end you don't know what is your own any more. There is not a moment in the creation process when my office fills with the blares of trumpets; no, very often we only realise what we have really done after a year or two. The epic moment of creation is a hoax…
Let us not create the myth of teamwork. There are irreplaceable moments of personal reflection and synthesis. Generally speaking, I believe that the model of the Renaissance workshop still applies to my type of work. It seems an extraordinarily modern model. None of us works alone but, equally, team work alone is not enough.
There is also another aspect to creation, which I call the lateral project. I start with an objective and then comes a disturbance, a deviation that forces me to take a new route I hadn't thought of before.
Berio: And along that route you find things that are more important than the objective you had set and which in the end you forget.
Regge: This is the case of the discovery of fossil radiation, one of the most important observation data in the Big Bang theory. This is the story - in 1965 two researchers at the Bell Laboratories, Penzia and Wilson, noticed a background noise that was disturbing the aerials they were constructing to communicate with satellites in space. They tried to eliminate it by setting up ever more directional aerials, cooling the receiver with liquid nitrogen to eliminate the noises from the circuits, but were unsuccessful. Until they realised that the noise was not coming from the instruments, but from outer space. Luckily for them, they were twenty kilometres away from the University of Princeton, where professor Robert Dicke taught; he had for years been trying to find the money to build an aerial capable of studying background radiation. Dicke realised that the two researchers had already discovered it. Unfortunately the Nobel prize did not go to Dicke but to the other two, who were not looking for fossil radiation at all and certainly did not expect to become leading figures in one of the greatest observation discoveries in cosmology.
Berio: Music saw an experience of a different kind that helps us, however, to understand this side of creativity. After the war, the ideal of perfect unity dominated the experience of so-called serial music. All the elements in music are cohesive, as in Webern, his music is as coherent as crystal. But the conceptual tools used for that type of music helped me to discover totally different ones. I myself have applied them, for instance, to music from Central Africa, which is very distant from Webern.
Piano: Often in architectural design work what are sometimes important details change in the executive phase. Simple technical errors like glass that is too dark will thwart the search for transparency and lightness.
Regge: The same happens to scientists when we encounter an unexpected obstacle that forces us to change course. Certainly, in theoretical physics we are more flexible; we do not have the three thousand billion lire of Potsdamerplatz pushing us…
But I would like to remind you of a figure that was fundamental for each of us, in every field of creation: the maestro. We have all had a maestro who influenced and guided us, who rebuked us and criticised us when we were wrong. I am profoundly grateful to my maestri at the University. These people became a part of me; they are part of my work.
I would like to make a digression, on the subject of maestri and pedagogy. Berio mentioned earlier the want of musical education in Italy. It would of course be good if here too, as in America, children started doing music at nursery school. I would, however, be against introducing a music lesson into secondary schools because the students would hate it immediately. It is one thing to absorb a subject as you experience and enjoy it; it is very different to suffer it as an obligation. I learnt it because someone at secondary school took me to concerts and opened me up to new horizons. But if they had taught it to me at secondary school I would have had a reaction of rejection. If you also had to pass a music examination, learning by heart what year Mozart was born, when he wrote this or that symphony, I think the rejection would be total.
Unfortunately Italian schools make the most remarkable subjects loathsome. The teaching of science, mathematics and geometry is extremely pedantic. You start from the principle of the similarity of triangles, then maybe they explain to you what a thermometer is - "it is the instrument used to measure temperature" - and what is temperature - "it is the physical quantity that is measured with a thermometer"…
You must recoil from impositions from above. I remember a top-ranking English colleague, Michael Atiyah, famous for having discovered the "index theorum" with Peter Singer. One day he took me into his office, led me by the hand and guided me into the empyrean of mathematical thought. I found it wonderful, because I already knew a great deal of maths. When the explanation is over, you immediately yearn for that heaven touched for a moment. Yes, something remains, but the atmosphere has dissolved. Something similar happened to me once when I was at home looking for a station broadcasting classical music. At a certain point Leonard Bernstein came on and started to explain one of Mozart's symphonies, playing some pieces on the

piano, drawing me totally into that magical atmosphere - almost a psychedelic effect, the strongest of emotions.

Piano: On the subject of maestri, I am fortunate enough to have had many, from whom I "stole" a great deal, with cold calculated predetermination.

I was studying in Florence and one day went to see Franco Albini in Milan because I thought he was the maestro to learn from. I worked a lot in his workshop and in Marco Zanuso's as a student. I "stole" a great deal from both of them, and I also took a lot from Pier Luigi Nervi - whom I only saw once in my life. But, among my maestri I must also list the French engineer and architect Jean Prouvè, as too Louis Kahn. The list would be long, because I took something from each of these maestri and put it in my rucksack.

The experience and contact with maestri also taught me what you must not do. In architecture, a bad professional is one who does not go the work sites, who does not follow work through to the end, right down to the detail and the shade of colour. The architect is a builder first and foremost. If he does not get his hands dirty he is not an architect.

Berio: The same applies to my trade. The true musician is he who reaches the level of knowledge at which musical technique becomes automatic.

Piano: One of the architects who has most stimulated me is Hans Scharoun. Working in Berlin, where he built the Library and the Philharmonic Hall, is an extraordinary challenge for me. Scharoun had the most incredible effrontery when he built a sort of holy mountain in that deserted space in the heart of Berlin. What fascinates me most of all about the Philharmonic Hall is its pentagonal shape. You enter the vestibule, the lobby, and you live the pentagon. It is the contrast with the exterior - from the outside it looks like a bicycle factory… a truly brilliant effrontery.

The most interesting aspect for me is the semi-barycentric positioning of the orchestra. Scharoun understood that you must create a sense of audience participation in a music building seating 2,700. The secret of the orchestra in the centre is that it allows the audience to see itself on the other side of the hall and thus recognise the focal position of the orchestra.

When designing the Auditorium in Rome, I felt that Scharoun's experience could not be set aside. It had to be the starting point. It would have been insane to say that it could not be done again because Scharoun had already done it. Otherwise, what are maestri for? I was fortunate enough to have the acoustic expert who worked with Scharoun in my group - a "mad scientist" and music lover with whom you can have good discussions. For the Auditorium, we started from the Berlin experience but, as well as putting the orchestra in a semi-barycentric position, we added some very attentive work on the body of the roof, which actually becomes a sound box. Something similar to what we did with the Lingotto in Turin, only there we had a rectangular receptacle, represented by the building itself, which it would have been absurd to disobey. In Rome, on the other hand, we are free, in a large space, and therefore we can create this sort of musical instrument. I am telling you this to show how important it is to grow on the experience of others; we dwarves climb onto the shoulders of the giant to see farther.

Berio: The relationship with our maestri also makes us reflect on the subject of obeying and disobeying canons. In the field of classical music, for instance, there is an ideal of the orderly balance of forms. In the moment of creation you can side-step slightly, as did Beethoven. His "acts of disobedience" brought more life to the classical code. Actually, whatever we do "we always disobey"; creation is made of many small "acts of disobedience" within a framework of substantial order…

Piano: You are speaking of linguistic or artistic "disobedience", within the act of doing…

Berio: I am not speaking of the language but the accomplishment…

Piano: Yes. After all architecture swims in this "disobedience", because it is a service, in the sense that it serves something. The architect must "disobey" the ordinary, the obvious, and also the customer slightly. When as a youngster I did the Beaubourg in Paris with Richard Rogers, it was our "act of disobedience". In the early 1970s the city was dominated by very serious and intimidating cultural institutions and we "disobeyed". We introduced this huge piece of meccano into the city, this factory, this refinery. The whole Beaubourg is an "act of disobedience" starting from the non-utilisation of all the space so as to create a square. We wanted to move away from the cliché of the intimidating museum. If the museum has changed today, if it is no longer an inaccessible place, I think it is partly thanks to that breaking of the rules.

An opposite case of rule breaking was the creation of a museum that is a place of, almost religious, silence in Houston, Texas, an ultramodern city, a city of progress. We set our project against a hot-headed city.

I have always been a disobedient youngster, I always used to make my mother cry… but artistic "disobedience" is civil disobedience, because if you want to do something you will always end up disobeying. If you obey you are finished.

Regge: Well, I will give you an example of obedience. I am thinking of the Mausoleum in the Red Square in Moscow. One of those typically Soviet buildings - very ugly. If you look carefully at it, you will see that the two halves of the building have different types of windows. Stalin had to make the final decision but signed the project without choosing between the two variants shown on the right and left of it. The terrified architects obeyed, putting the two types of window into the same building.

Berio: In music "disobedience" is also reflected in the listening. I think that an educated listener experiences music in the way a person experiences a city. Music, like the city, can be penetrated and interpreted in different ways.

There are many ways to approach a musical process; it is the listener who must choose his own. Listening is therefore a creative act.

Then there is creative disobedience on the part of the player. So a great violinist such as Isaac Stern can play Mozart in an uncommon manner because he projects romantic experiences into it. These are absolutely normal judgements, although they occur in a flash.

Regge: I can make similar examples in the scientific field. For instance, exactly ninety years ago, Einstein came up with a study on photoelectricity, which was later used to develop the concept of the photon, laser etc. Many thought that his was a wrong move, because he had once more dragged in the corpuscular light hypothesis that belonged to Newton and had apparently been buried in the early 19th century by the wave light theory, which seemed definitive and confirmed by many empirical data. That of Einstein seemed an anti-historical outburst, an amateur error.

For eighteen years Einstein fought a solitary battle against the rest of the international scientific community. Until the validity of his argument was experimentally proved and won him the Nobel prize in 1923. This is a case of winning disobedience or, if you prefer, of "lateral thinking", in the sense that a sudden deviation leads to remarkable and unexpected results.

Something similar also happened to Bohr, when he proposed his atomic structure, a sort of planetary system with the electrons rotating around the nucleus like the planets around the sun. The trouble with that model was that by rotating around the nucleus the electrons would have irradiated electromagnetic energy and precipitated into the nucleus. According to the calculations, this would happen in a fraction of a second. Yet, Bohr "disobeyed", arguing that these orbits existed and that something was clearly preventing their collapse. Only years later did new mechanics allow the discovery that the atom is stabilised.

Piano: There are moments when disobedience is expressed by invading a field, in the passage from one creative discipline to the other. It is an intelligent deviation that allows us to "steal" from everybody. It is different from each starting to do the other's job…

Regge: It happened to Goethe, a great poet but a failure in terms of experimental physics. When he constructed his theory of colours, he did not bear Newton's lesson in mind. Newton had immediately realised that when light is broken up with a prism it must be passed through a very thin slit in order to divide the light into the spectrum. Goethe used a very wide slit, with the result that the colours mixed and showed a central white band with some blurs on the edge and then darkness. On this error he constructed a whole *Sturm und Drang* theory, the battle between light and darkness which produces colours… Later Schopenauer joined in, only to worsen the situation even more.

Piano: Nonetheless, if there were not some form of deviation, side-stepping or "disobedience", our world would be governed by the banal. In architecture, especially, where you often encounter clients

who have a totally banal vision of the architectural project and the city.
After all, this also applied in the past. In Siena, for instance, Piazza del Campo has non-symmetrical towers - a magnificent example of Renaissance "disobedience".
Regge: The violation of symmetry is extremely important in physics. A great mathematician, Hermann Weyl, held that neither absolute symmetry nor the total absence of symmetry held good. If anything, broken symmetry works in physics; it contains the memory of the symmetry that is no more. Even in music the rules of harmony are made to be broken.
I don't think any of you has done a course in creativity. I have. I was dragged to a seminar held by a former doctor in Malta, Edward De Bono, who runs creativity courses mainly for managers, company directors and the business world. I found it quite amusing. De Bono is the theorist of "lateral thinking". I listened to his lessons and then said to him: "Listen, if a person is not creative he cannot become creative. It is like drawing blood from a stone". "But I don't even try", he replied, "all I do is establish a procedure suited essentially to companies and boards of directors". Basically, it is a question of taking operational decisions, going straight to the point, schematisation and simplification. The truly creative part is the finale. You describe a problem in non-creative terms, then you change a part of it and try to defend it. Example: "A restaurant is a place where you go to eat and then pay". Take away the "then pay"; according to De Bono, this is the type of creative logic that produced the credit card.
Or: "A glass is a water receptacle with a flat bottom". Take away: "with a flat bottom". The result is a glass kept in a set place, in a hole in the table, so that a robot can move it to wash it. Of course the client is forced to place the glass in that precise position, otherwise it is no longer a glass.
Or again: in Australia they had problems with the excessive length of telephone calls from public telephones so they put a block of lead inside. In this way, they reduced the length of telephone calls at a minimum cost. These are just a few examples of "lateral thinking".
Piano: I have never been to creativity school. Earlier I praised memory, the link to that which already exists. I would not wish to neglect the spark that is ignited when someone makes a discovery and which acts a bit like a drug. In those moments, backup from the past does not count. You are an acrobat with no safety net.
For example, I start with a sketch - I could never manage without it - but I don't know exactly where I will end up. I let myself be guided, I find that what I have written is not so bad after all and I go on. It is a sort of "short writing". Your hand leads you to the goal. You lose control of this mechanism once you have discovered it.
In those moments you have your back to the wall. Either you do it or you fail. If you are unable to do it, you go and fill the ranks of that large army of the resigned who keep telling you that everything has been done and that you should continue to repeat the old experiences. Be careful - you cannot do without the past, but the mechanism of creativity is triggered when there are pieces missing and you cannot "steal" them.
On this subject, the technique of forgetting, of distancing yourself and making the unconscious work is highly productive. I believe it is the tech-nique used by the masters of the Ravenna mosaics; for a certain length of time they had to work focusing on the space they were decorating, then now and again they moved away to understand what they were doing with a glance at the whole. I use this technique out of necessity, when I move from one office to another, from Paris to Berlin, or to some other worksite. I also find week-ends precious. Riding in a balloon allows you to distance yourself mentally from the routine. You discover slowness, which has been talked about so much recently. I relate the slowness to the climbing, moving away, taking a moment to draw breath. During a balloon ride you suspend analytical work and let something settle in the unconscious. The slowness contains great speed, that of the inner thought circuits worked rapidly by the unconscious, which allows you to suddenly link up the fundamentals of a project. I don't know to what degree this unconscious is guided by a trade that I have now interiorised, but certainly these lightening moments of creativity lie in the innermost layers of the mind.
Berio: I am insensitive to the unconscious argument. I am not concerned with it. I don't know what good it is to me and I am not very interested in what others do with the excessively direct and explicit subject. It is no chance that people are reluctant to consider psychoanalysis a science. I reproach Freud for having lowered the level of life, in the sense that he took everything below the belt... apart from all else, there is something morally reprehensible about the use of psychoanalysis; it is something that takes responsibility away from the individual.
Regge: In our discussion, we have ignored the role of solitude, reflection and the ability to isolate oneself at the right moment and compose the pieces of the mosaic. Great scientists as too great creative people have always had this splendid ability - sometimes obvious sometimes well concealed. When the mathematician Euler lost the sight in his only eye and was left blind, he did not despair but said: "One less distraction". Einstein had the habit of taking mental leave by saying: "I want to think a while". Hilbert had great difficulty communicating with his fellows but not with mathematics. Other colleagues of mine of great standing are almost autistic. With this eulogy I don't wish to reduce creativity to solitary meditation. The true creative people are those who are able to alternate moments of reflection with dialogue and also theft, in the positive sense mentioned by Piano.
Piano: I would like to stress one point: I believe, in short, that creativity does not belong to one branch of art or knowledge or another. It is what unites mankind, from scientist to musician, from farmer to craftsman. After all, an American sociologist, Peters, has declared a universal principle - "Peters' principle" - by which all people improve their work until they reach a level of incompetence. The secret of creativity is very simple: you keep going as long as you are good, then you stop and it really is the end.

(MicroMega, n° 3/95).

Sette cantieri per la musica
Seven sites for music

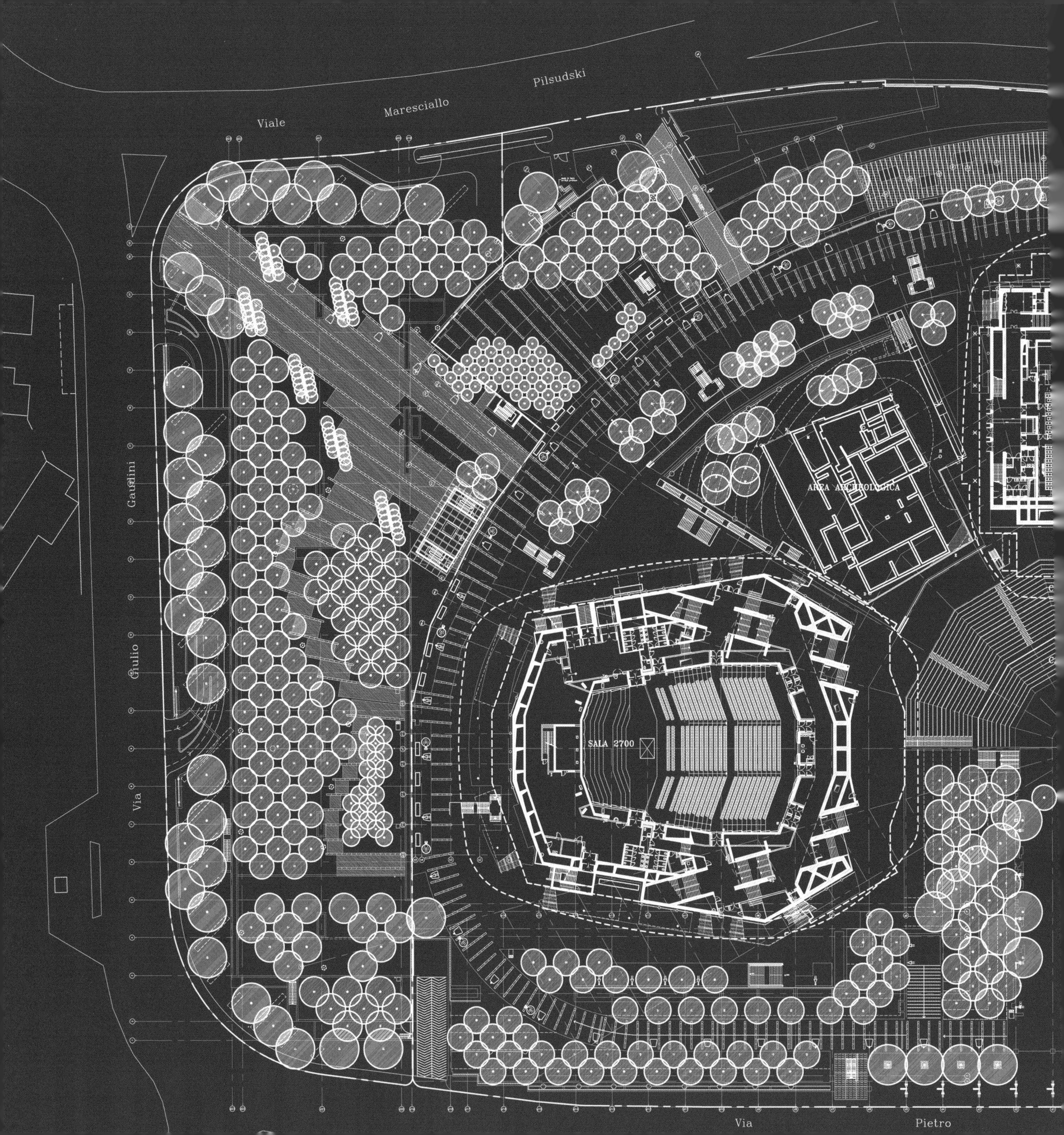

Viale
Maresciallo
Pilsudski
Via
Giulio
Gaudini
SALA 2700
AREA ARCHEOLOGICA
Via
Pietro

1992-2002

Auditorium - Parco della Musica

Roma, Italia

1992-2002

Auditorium - Parco della Musica

Rome, Italy

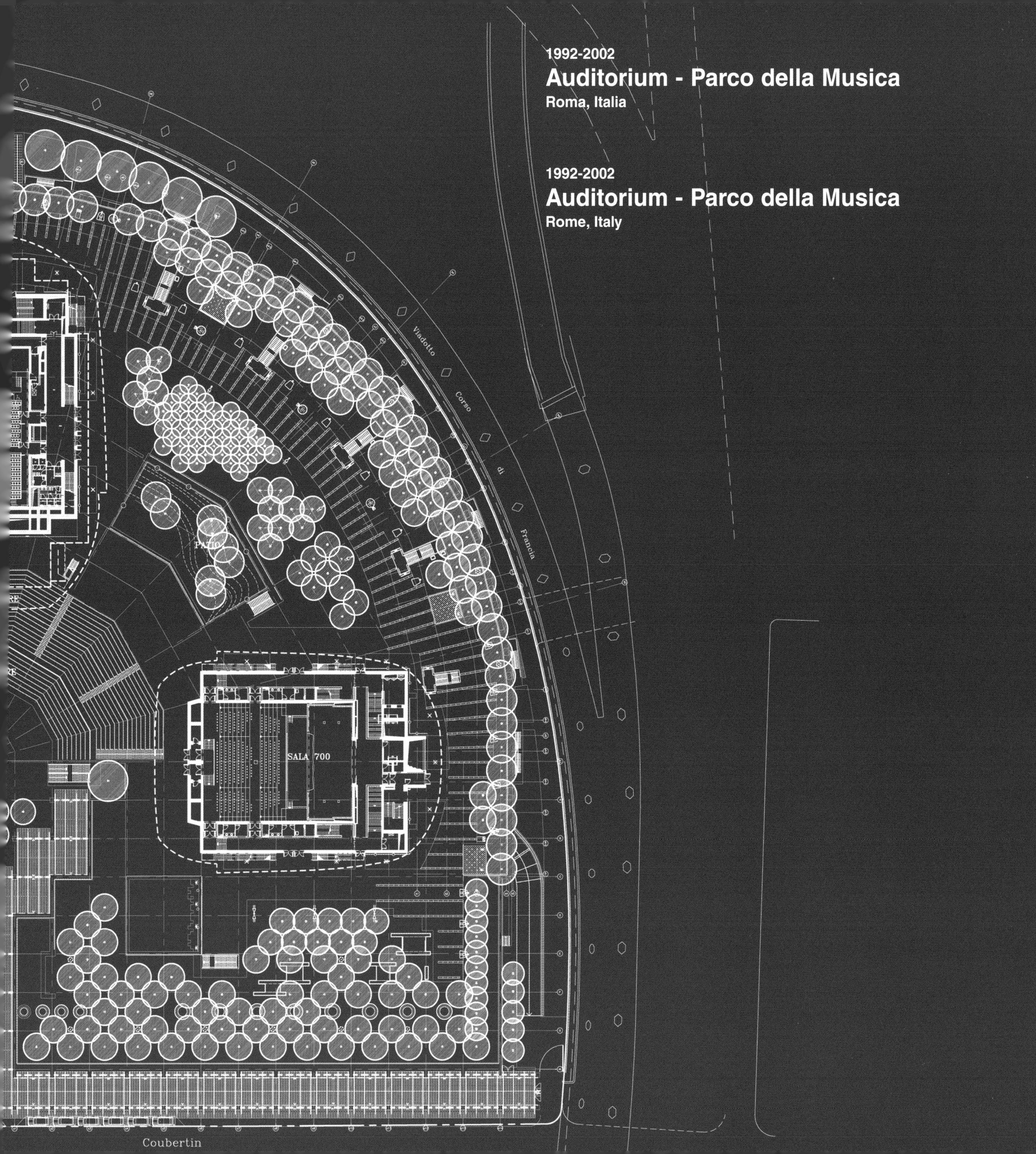

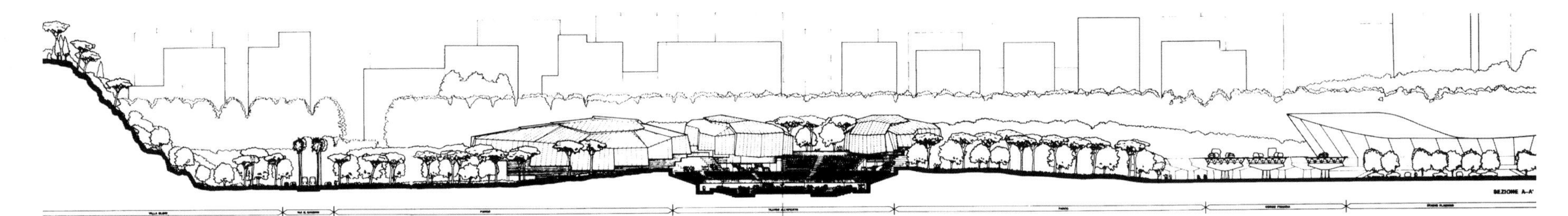

L'auditorium di Roma è un complesso multifunzionale dedicato esclusivamente alla musica, che contribuisce ad arricchire il già immenso patrimonio della città eterna.
Il progetto è caratterizzato da tre "casse armoniche" che sembrano volare sopra un mare di vegetazione.
Una struttura del genere non poteva essere costruita nel denso centro storico di Roma. Il luogo scelto per l'edificazione dell'auditorium è situato nella leggera pianura che si estende tra le rive del Tevere e la collina dei Parioli, tra il Villaggio Olimpico costruito per i giochi del 1960 e il Palazzetto dello Sport e lo Stadio Flaminio progettati da Pier Luigi Nervi.
Il sito così decentrato presenta il vantaggio di potere accogliere e gestire con facilità un grande afflusso di pubblico (grazie alle vicine infrastrutture preesistenti), ma anche quello di occupare uno spazio che ha rappresentato per lungo tempo una sorta di frattura artificiale, un "buco" nel tessuto cittadino. La "città della musica" diventa così un nuovo elemento urbano. La frattura è ora riassorbita da un parco di circa 30.000 metri quadrati, dove sono stati piantati 400 alberi. Una vegetazione lussureggiante che funge da legame tra il quartiere romano Flaminio e l'altrettanto ricca vegetazione dell'adiacente Villa Glori.
Le tre sale che compongono l'auditorium sono immerse in una densa vegetazione che si apre per lasciare spazio all'anfiteatro, un focus urbano che dà luogo ad una quarta sala, all'aperto, destinata alle rappresentazioni e ai concerti, dove possono trovare posto circa 3.000 spettatori.
La scoperta di vestigia archeologiche è un fenomeno abbastanza frequente nei cantieri romani. È stato cosi posticipato l'inizio dei lavori di costruzione dell'auditorium per permettere l'esecuzione degli scavi sul sito di una villa romana (del VI secolo a.C.), le cui fondamenta sono state rinvenute durante gli scavi preparatori dell'area.
Si è deciso allora di modificare il progetto iniziale, aumentando l'angolo tra gli assi delle tre sale concerto, per includere un museo che ospiti le rovine trovate sul cantiere.
Un museo di strumenti musicali, gli uffici dell'auditorium e una biblioteca specializzata completano il progetto.

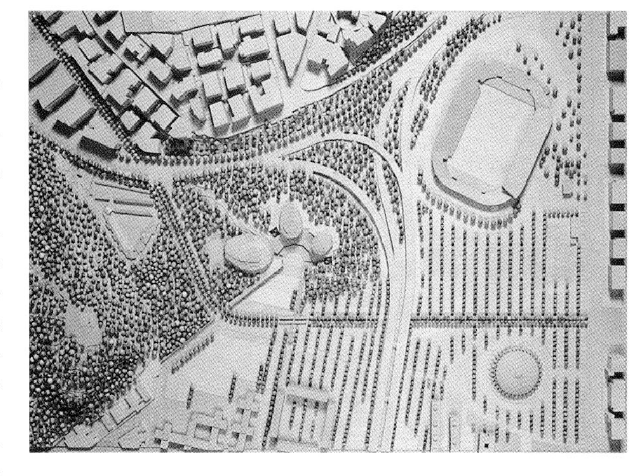

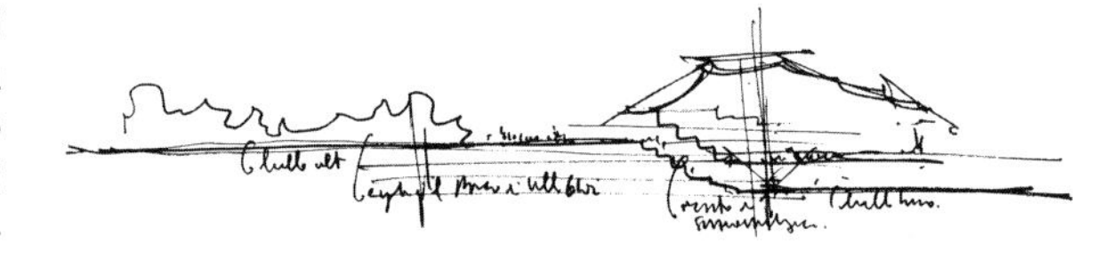

Modelli e disegni relativi al concorso.

Models and drawings showing the competition design.

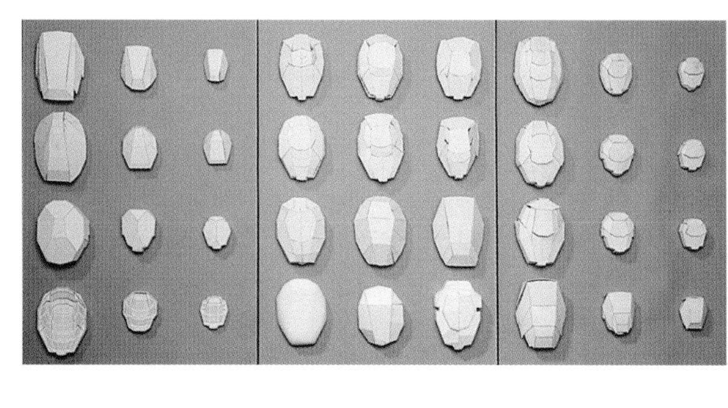

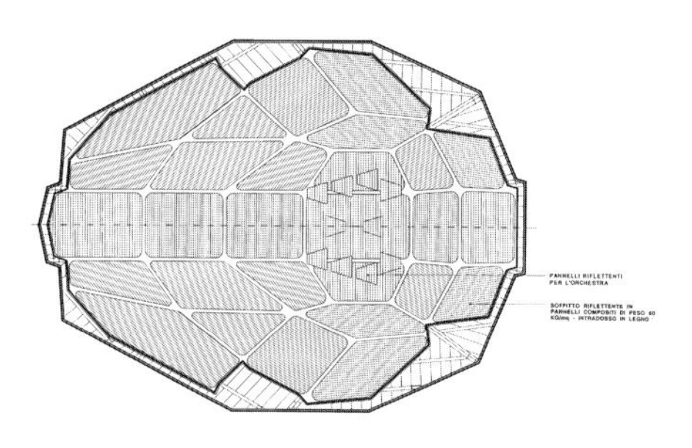

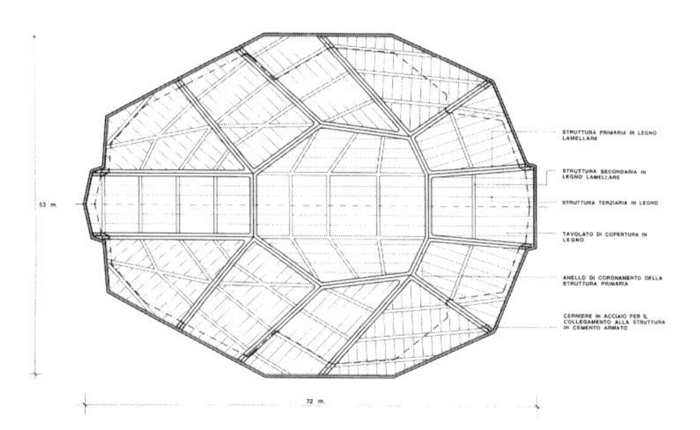

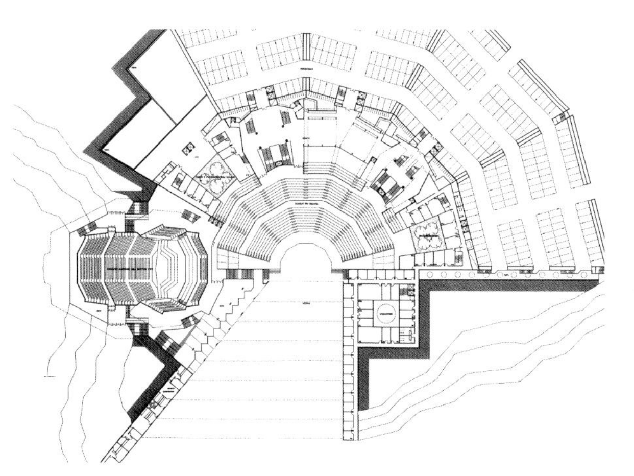

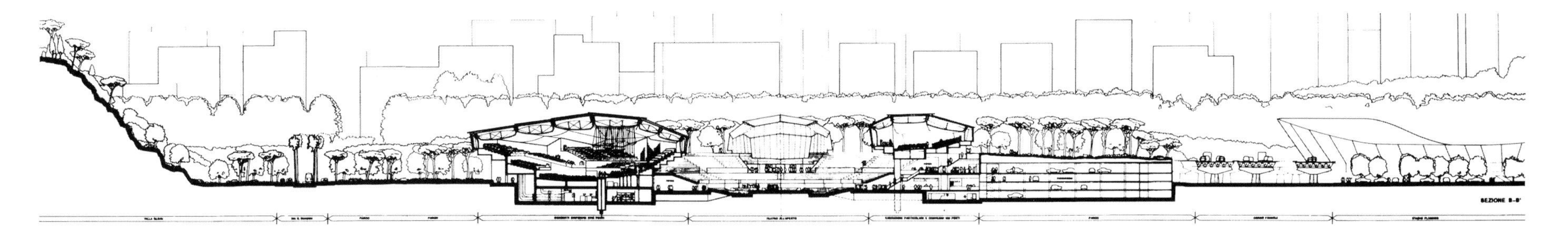

The Rome auditorium is a multi-function complex dedicated to music, that enriches the already vast cultural heritage of the city.
The project is characterised by three "music boxes" that appear to be flying above a sea of vegetation. The very dense historical centre of Rome rendered impossible the construction of a building of such scale. The site chosen for the auditorium is in the plain between the banks of the Tiber and the hill of Parioli, between the Olympic Village, built for the 1960 Games, and Palazzetto dello Sport and the Flaminio Stadium planned by Pier Luigi Nervi.
This decentralised site had the advantage of being capable of accommodating and managing large movements of people, with existing infrastructures nearby. Also, to build on this site meant occupying a space that had for a long time been a sort of artificial fracture, a gap in the city. The auditorium thus became a healing element for the urban tissue. The former fracture has been absorbed by a park of about 30,000 square metres, planted with 400 trees. This luxuriant vegetation serves as a link between the Flaminio district of Rome and the abundant vegetation of the adjacent Villa Glori.
The three concert halls that compose the "City of Music" are bathed in a sea of vegetation, that opens to make room for the amphitheatre, an urban focus that creates a fourth concert hall in the open air, able to seat an audience of 3,000 people.
The discovery of archaeological remains occurs relatively frequently on building sites in Rome. The start of the construction work on the auditorium was delayed for a while, to allow the archaeological excavation of a Roman villa dating from the 6th century B.C., uncovered during excavations for the foundations of the project.
A decision was made to modify the initial project, by improving the angle between the three axis of the concert halls, in order to include a museum of the Roman remains found on the site. Also included is a museum of musical instruments, offices for the auditorium and a specialist library.

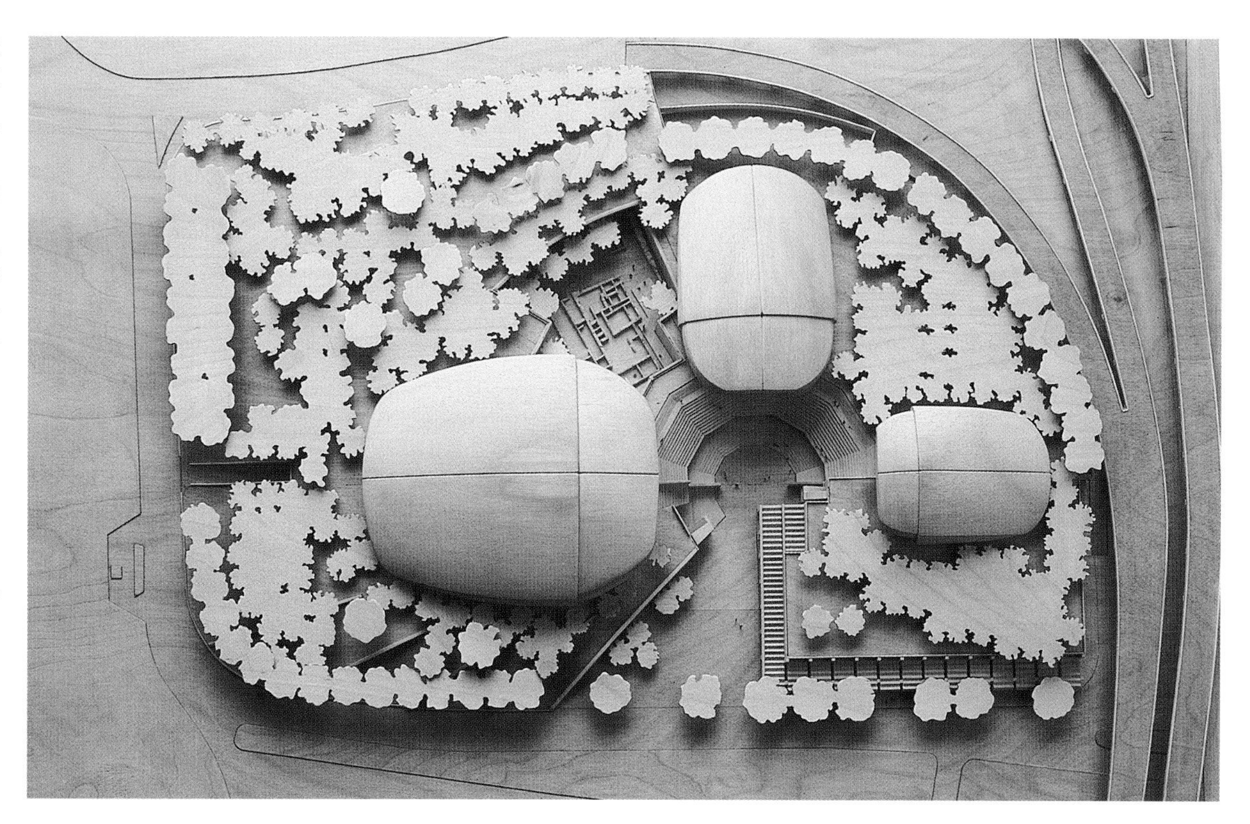

Veduta del modello aggiornato dopo i ritrovamenti archeologici di antichi resti di una villa romana dell'epoca repubblicana.

View of the site model, after the ruins of a Roman villa from the Republican era were discovered.

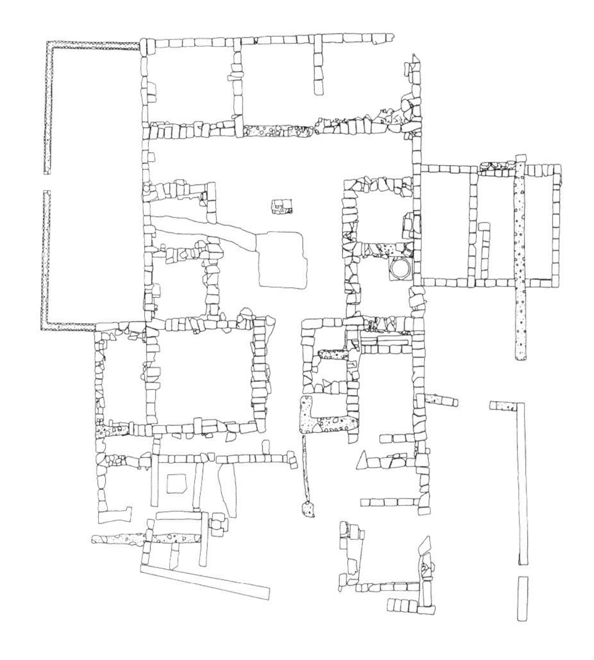

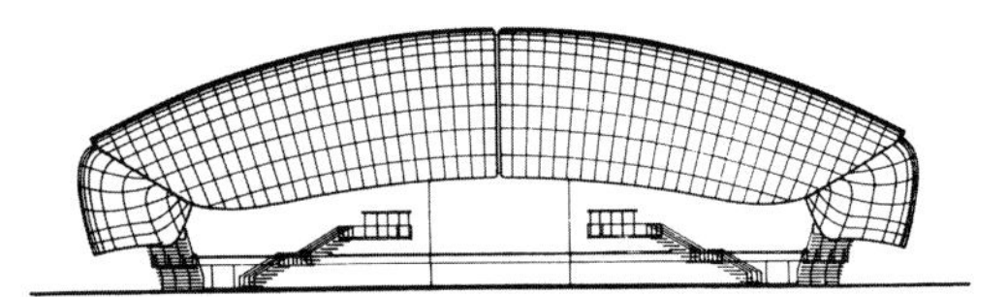
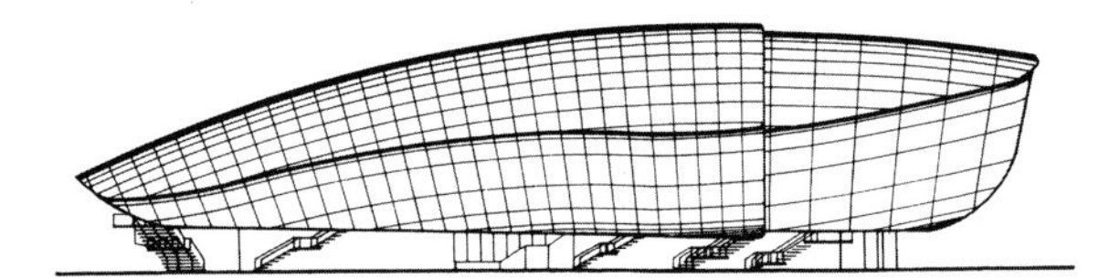
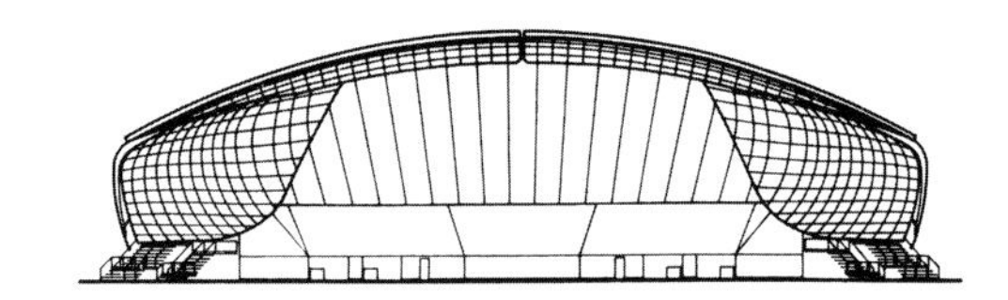

Le tre sale (concepite come fossero veri strumenti musicali) hanno una loro caratteristica propria, frutto della precedente esperienza nel campo dell'acustica. Queste immense "casse armoniche", oltre alle loro specificità architettoniche e funzionali, sono strutturalmente separate per favorire l'isolamento acustico. Inoltre ciascuna di esse è anche attrezzata per la registrazione musicale. La sala da 2.700 posti è riservata ai concerti sinfonici, quindi alle grandi orchestre e ai cori. La scena centrale, la cui configurazione è modulabile, garantisce una visibilità e una qualità di suono perfetti. Il volume di questa sala costituisce un limite massimo di qualità tanto per l'acustica naturale quanto per l'ascolto e la concentrazione del pubblico. Come tutte le più grandi e celebri sale da concerto, appartiene alla categoria detta "a vigneto", la cui struttura riprende il terrazzamento dei vitigni. La sala da 1200 posti è a sua volta caratterizzata dalla flessibilità distributiva: le dimensioni adattabili della scena (secondo la natura dello spettacolo) e delle poltrone permettono di giocare con la riverberazione del suono, offrendo così la possibilità di accogliere sia una grande orchestra e un coro sia balletti e concerti di musica contemporanea. La sala da 700 posti, che è simile nella configurazione a un teatro tradizionale, ha una fossa per gli orchestrali e una struttura scenica: le tre "pareti" che definiscono la scena (due laterali e una superiore) possono ruotare così da permettere, ancora una volta, di modificare le dimensioni del palco. Vi si potranno rappresentare opere liriche, concerti di musica da camera o barocca, opere teatrali così come concerti di musica sinfonica.
Ogni spazio dell'auditorium, che sia interno od esterno, è stato concepito in funzione della musica. Sia per la loro struttura che per i materiali utilizzati, le sale prova (che accolgano un'orchestra sinfonica o un solista), il foyer e l'anfiteatro scoperto diventano dei luoghi interamente consacrati alla musica.
Le due principali sale prova (una riservata esclusivamente ai cori, l'altra ai cori e alle grandi orchestre) sono state realizzate per permettere ai musicisti di provare nelle migliori condizioni acustiche possibili: per adeguarsi alle esigenze di ogni opera musicale, sono stati perciò utilizzati degli elementi amovibili e delle tende acustiche che permettono di giocare con i tempi di riverberazione del suono. Queste sale prova possono anche essere adibite a studi di registrazione. L'auditorium è un intervento urbano complesso, ma ricco e intenso, tramite cui si è infine riusciti a realizzare una "città della musica", un piccolo mondo perfettamente organizzato in un immenso parco nel cuore di Roma.

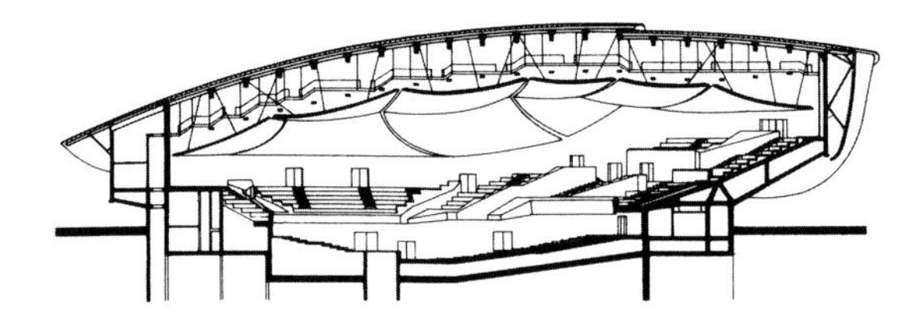
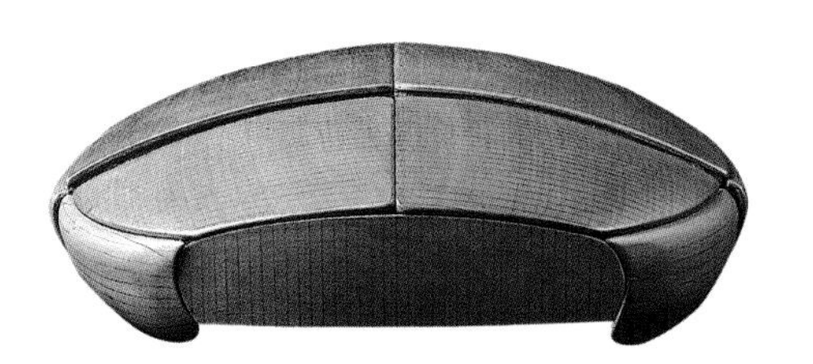

Proiezioni ortogonali della sala 2700.

Orthogonal projections of the 2700-seat hall.

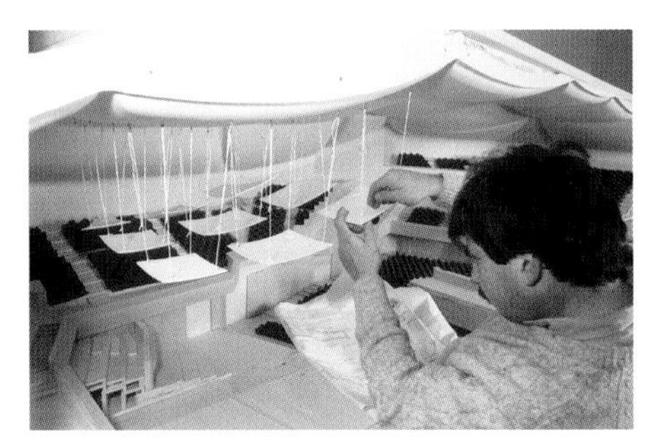

Durante il progetto finale sono stati importantissimi gli studi di riflessione acustica sul modello di grande scala.

During the design of the final project, important studies were conducted on acoustic reflection on large scale model.

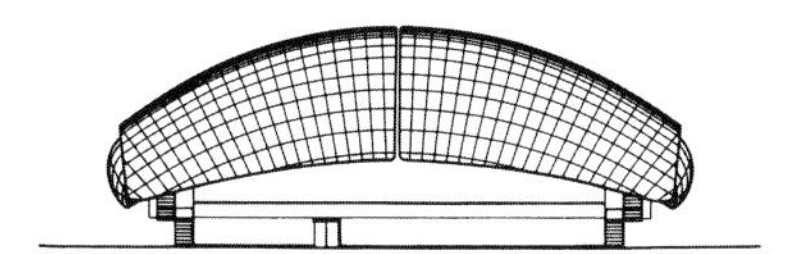
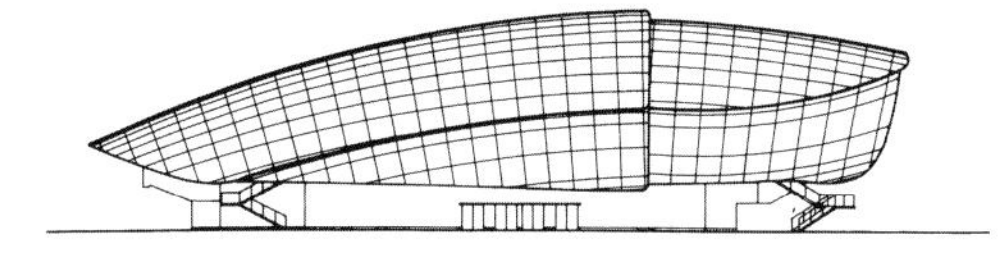
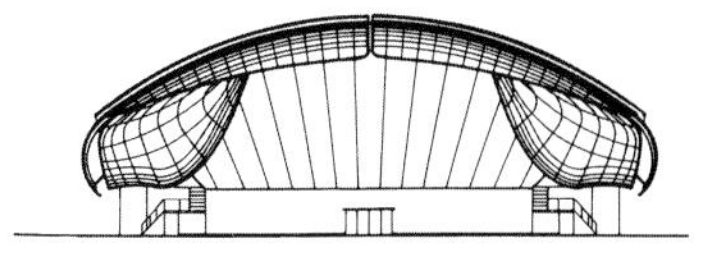

Proiezioni ortogonali della sala 1200.

Orthogonal projections of the 1200-seat hall.

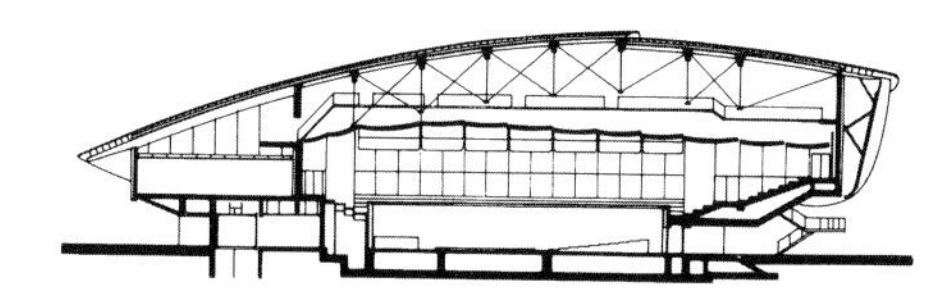
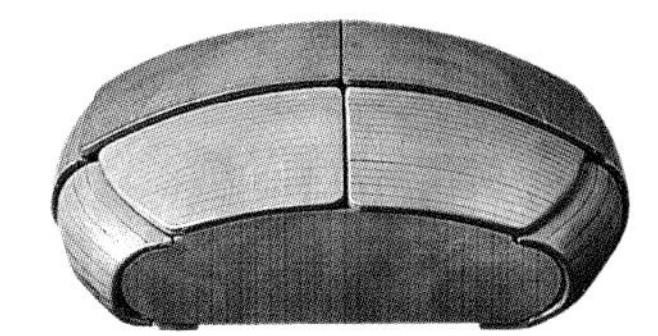

Each of the three concert halls (conceived as veritable musical instruments) has its individual characteristics and is the fruit of previous experience gained in the domain of acoustics.
As well as architecturally and functionally, these huge "musical boxes" are structurally separate, to facilitate soundproofing. Each one is equipped for sound recording.
The 2700-seat concert hall is intended for symphony concerts, composed of a large orchestra and choir. The central stage, with its modular configuration, guarantees perfect visibility and sound quality. The volume of this hall is at the maximum limit in quality for natural acoustics as well as for the attention of the audience.
It comes, as do the greatest and most famous concert halls, under the category of “a vigneto”, the structure reproducing the terracing of vineyards.
The 1200-seat concert hall is also characterised by distributive flexibility. The adjustable nature of the stage and seating, according to the performance's requirements, allows a fine-tuning of the reverberation time, offering the possibility to house a large orchestra with choir, or ballets, or contemporary music.
The 700-seat concert hall is equipped with an orchestra pit and fly tower, similar to the configuration of a traditional theatre. The three planes (two lateral and one above) that form the stage can be completely opened, allowing its size to be modified. This hall can house operas, chamber music or baroque concerts, theatrical performances and also symphony orchestra concerts.
All the spaces of the auditorium, whether interior or exterior, have been conceived with music in mind. The rehearsal rooms (whether they be for the use of a symphony orchestra or a soloist), the foyer, the open air amphitheatre are places totally devoted to music, as much by their configuration as by the materials employed.
The two main rehearsal rooms (one just for choirs, and the other serving both choirs and large orchestral formations) have been conceived so that the musicians can practise with the best acoustic conditions. By employing mobile elements and acoustic curtains, a fine tuning of the reverberation time can be made, to adapt to the requirements of the musical work. The rooms can also serve as recording studios.
The auditorium is a complex urban intervention, rich and intense, which has succeeded in forming a “city of music”, a perfectly organised little world in the great park, in the heart of Rome.

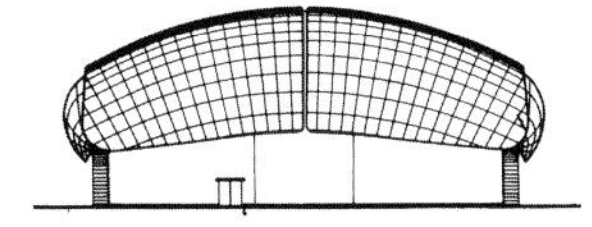
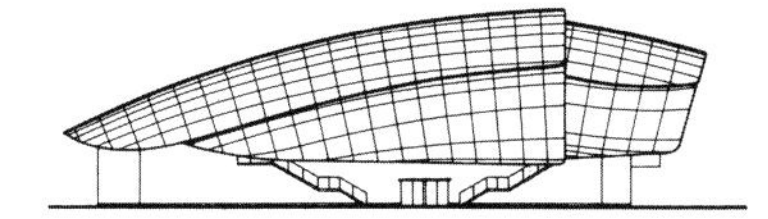
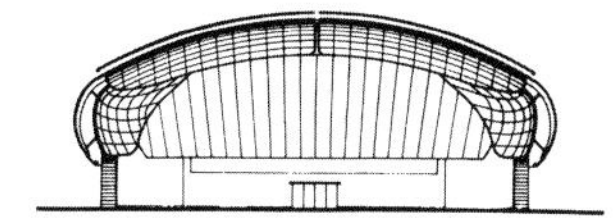

Proiezioni ortogonali della sala 700.

Orthogonal projections of the 700-seat hall.

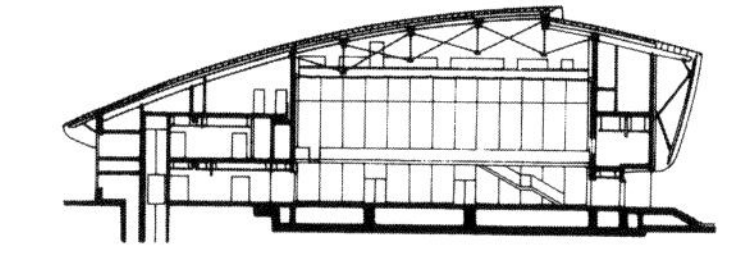
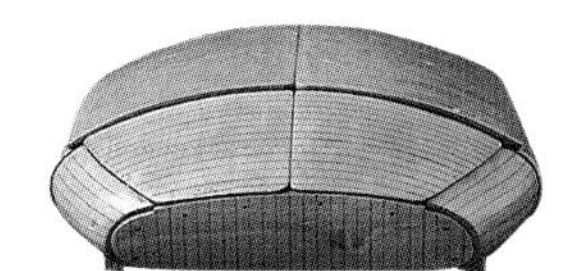

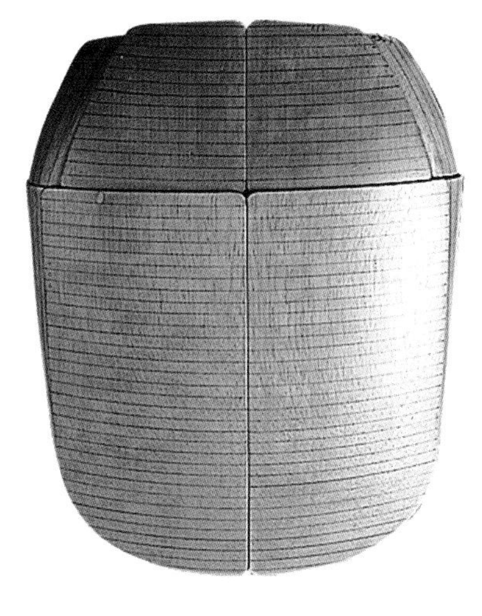
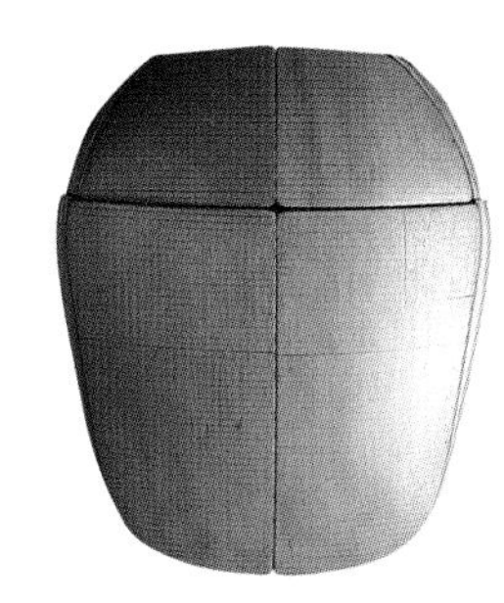
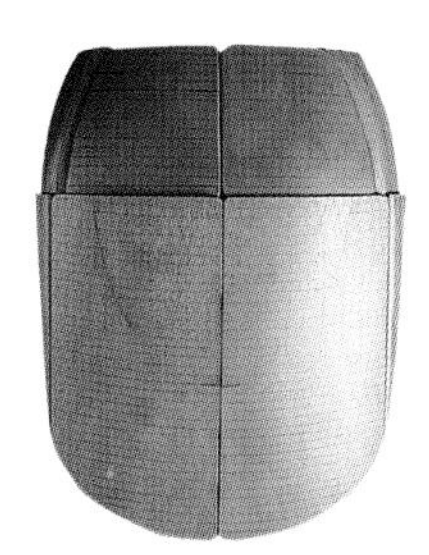

VIA GAUDINI
ACCESSO PARCHEGGIO
STRADA DI SERVIZIO
ACCESSO PEDONALE
ACCESSO PEDONALE

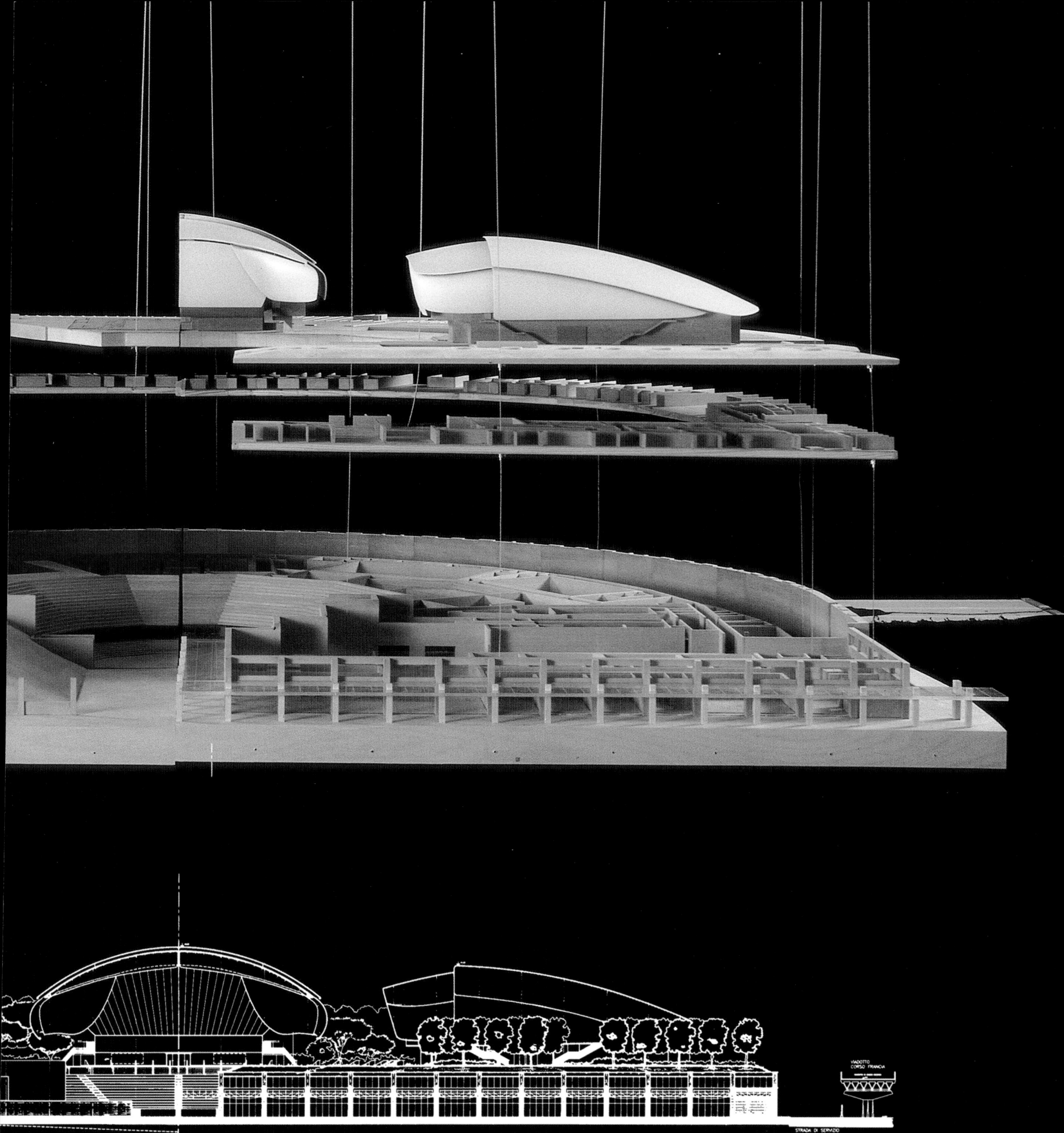
VIADOTTO
CORSO FRANCIA
STRADA DI SERVIZIO

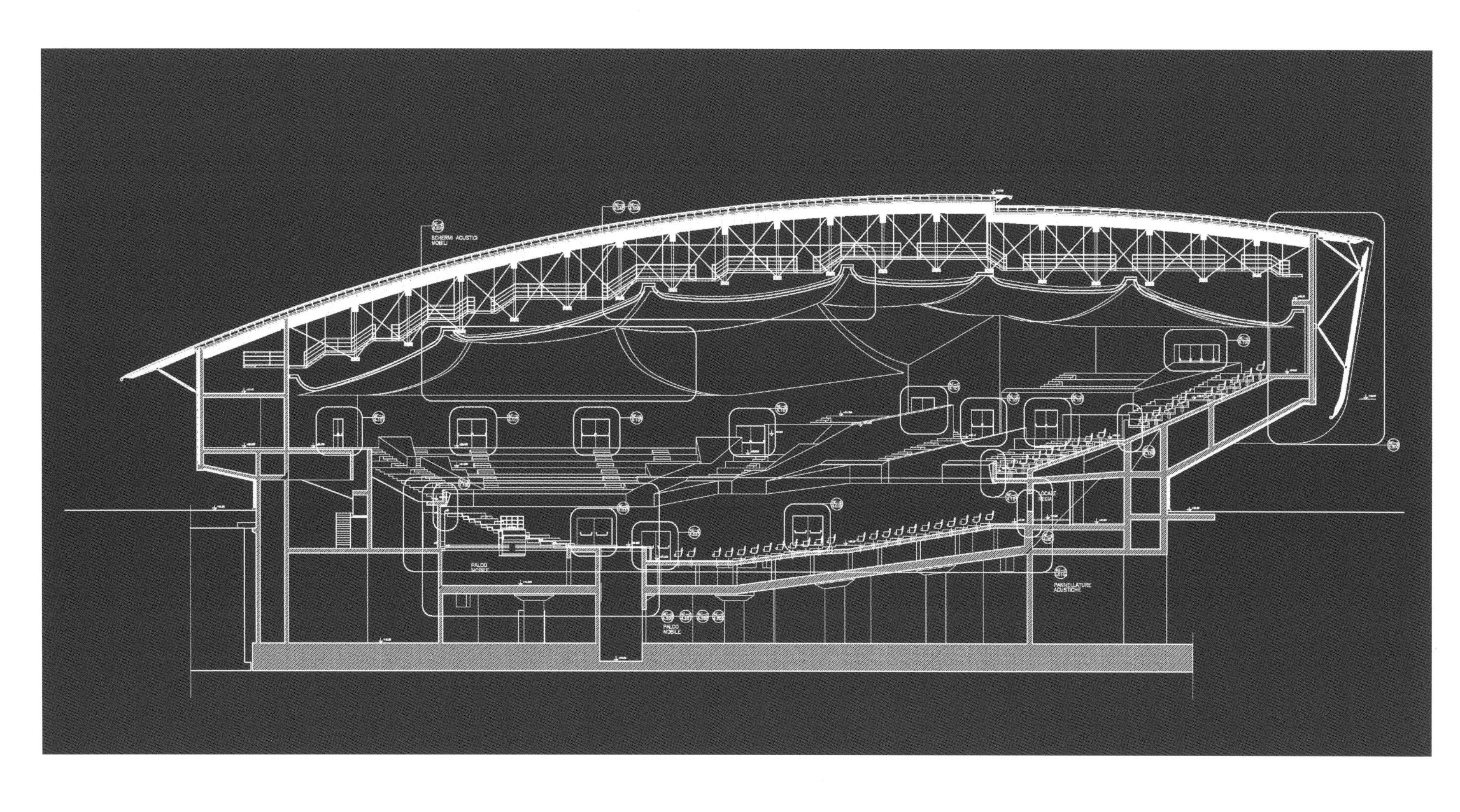

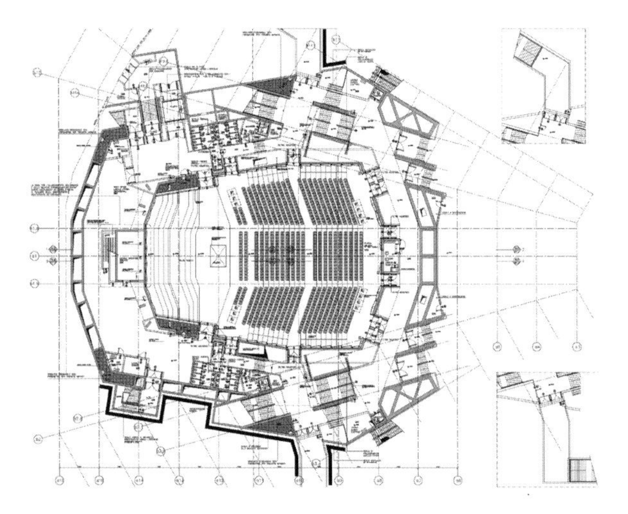

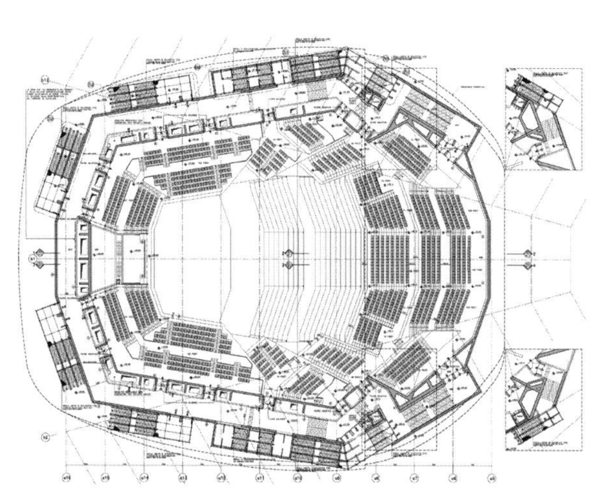

Sala 2700. Pianta livello platea e pianta livello galleria.

2700-seat hall. Plan of the stage level and plan of the gallery level.

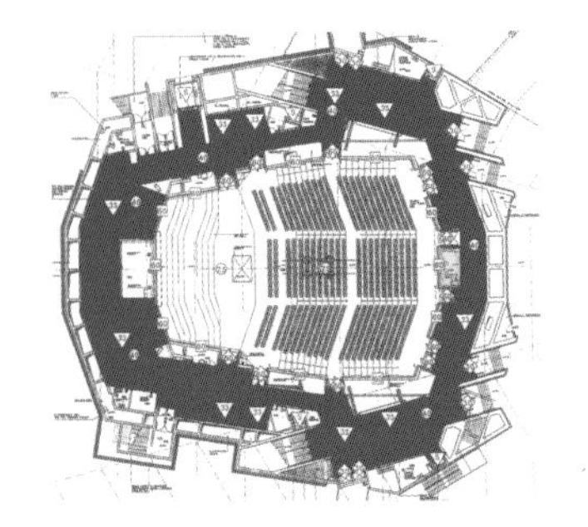

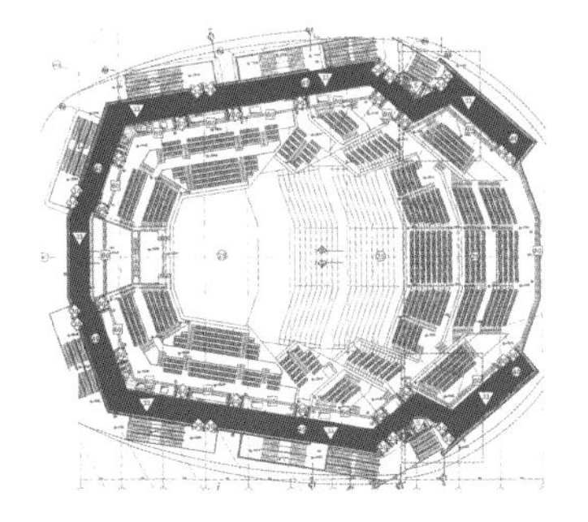

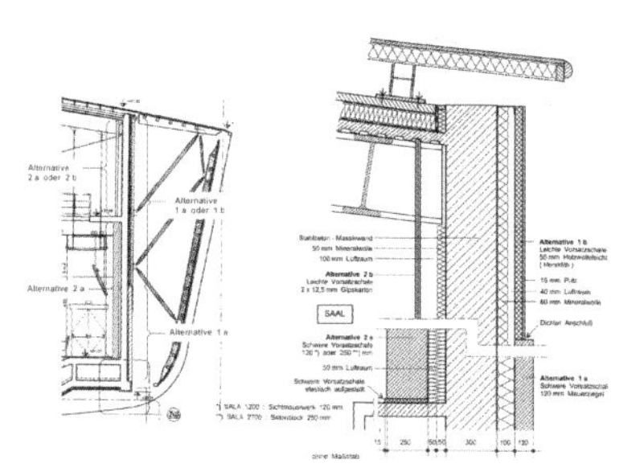

Schemi relativi all'isolamento acustico nella sala 2700 realizzati dallo studio Müller BBM GmbH di Monaco.

Schemes relative to the 2700-seat hall's acoustics isolation, realised by the Müller BBM GmbH, Munich.

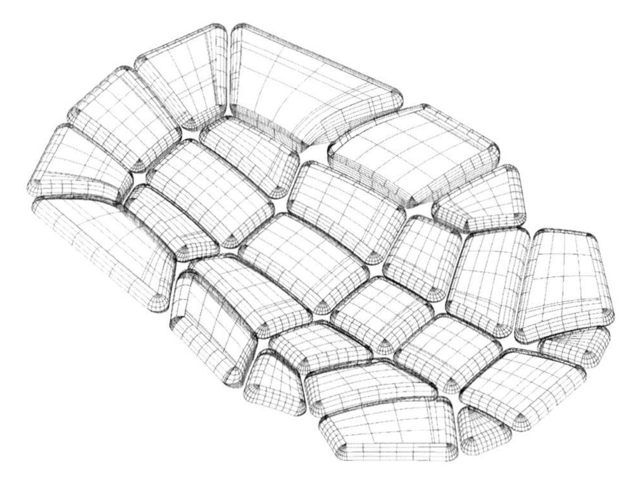

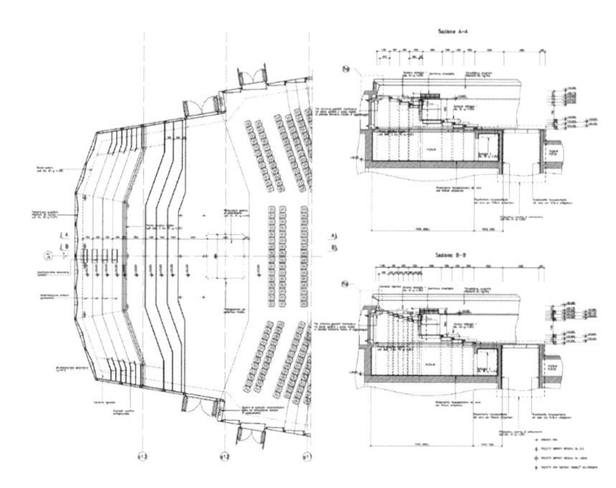

Schemi delle diverse configurazioni del palco mobile.

Schemes of various configurations of the mobile stage.

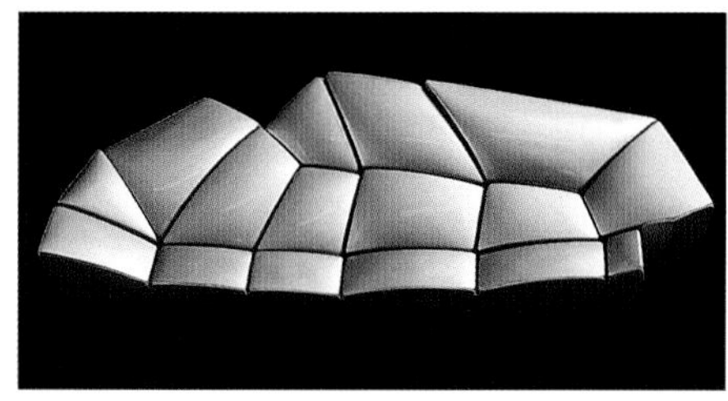

Sala 2700. Modello del controsoffitto interno. I diagrammi in basso mostrano la derivazione del tetto da geometrie toroidali.

2700-seat hall. Model of the internal reflected ceiling. Diagrams below show derivation of toroidal geometries of the roof.

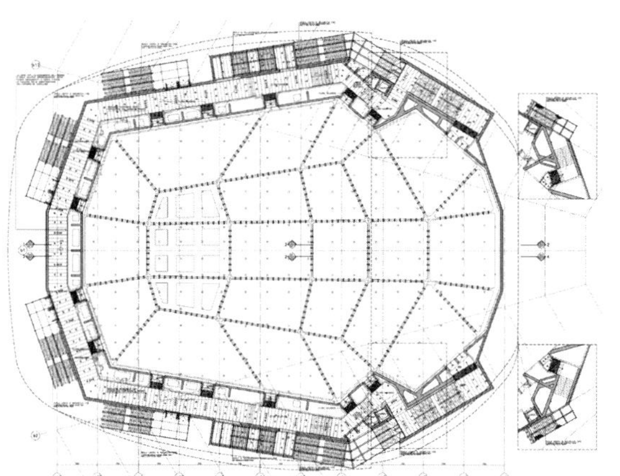

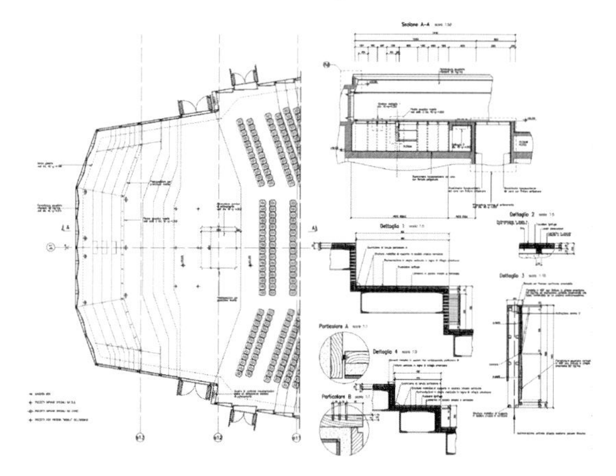

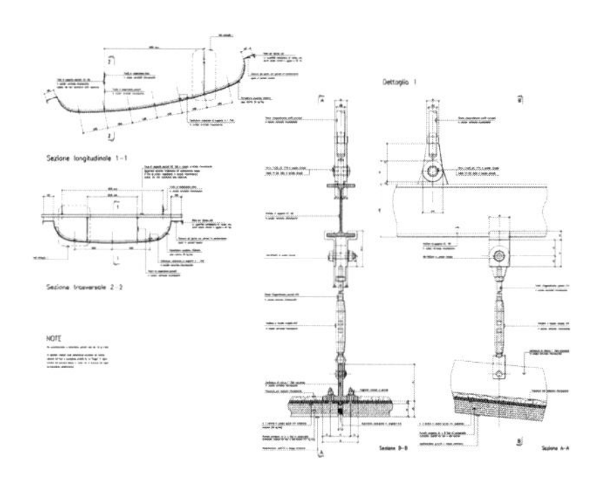

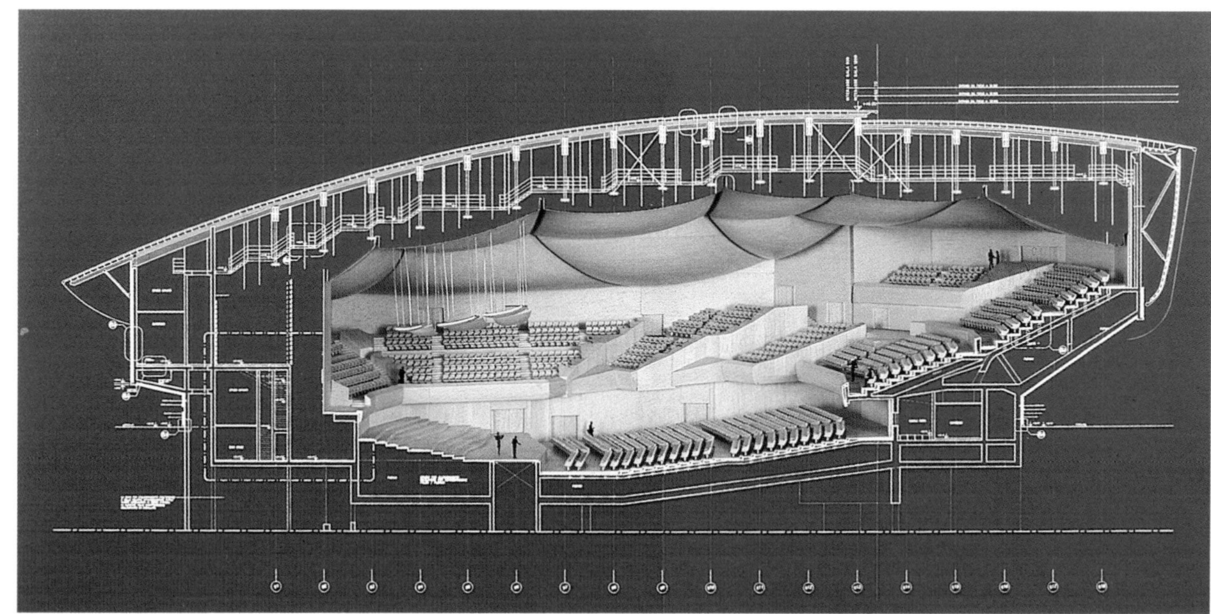

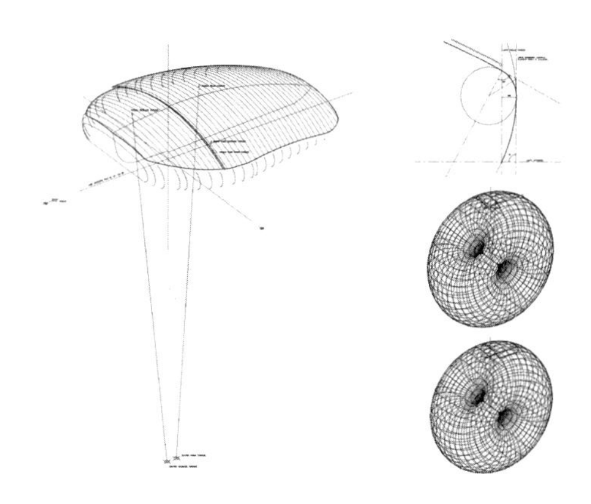

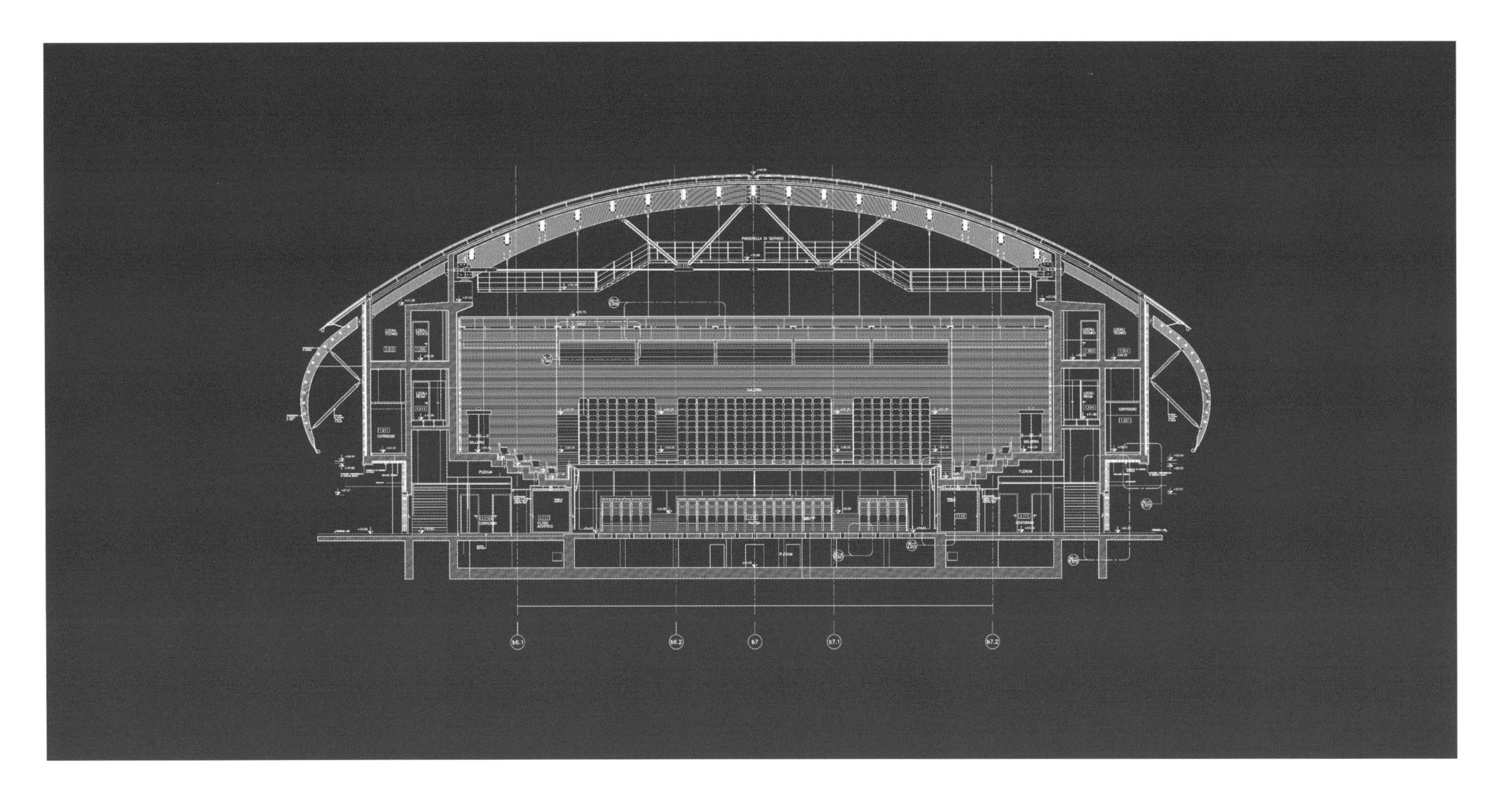

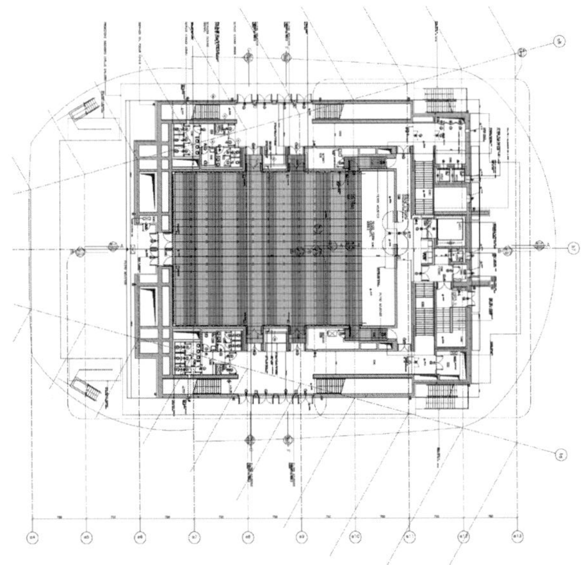

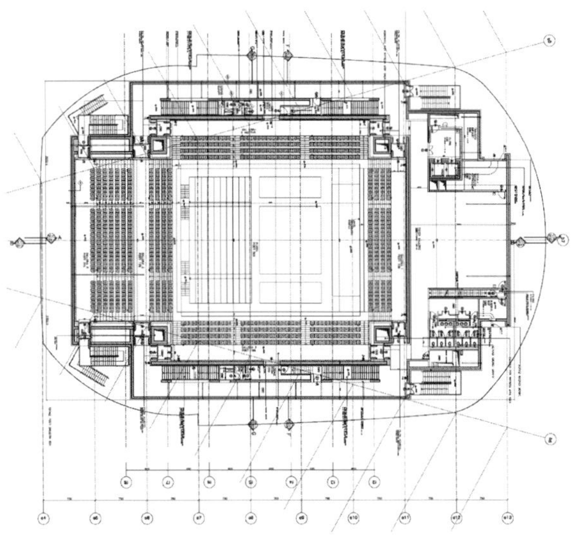

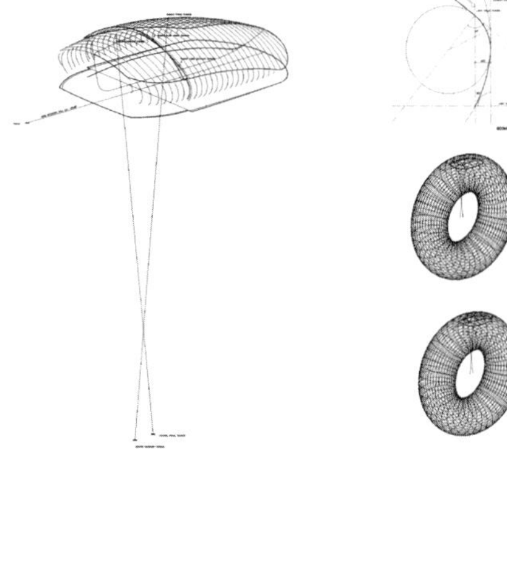

Sala 1200. Pianta livello platea e pianta livello galleria. A destra. Piante e dettagli del controsoffitto acustico.

1200-seat hall. Plan of the stage level and of the gallery level.
Right. Plans and details of the acoustic reflected ceiling.

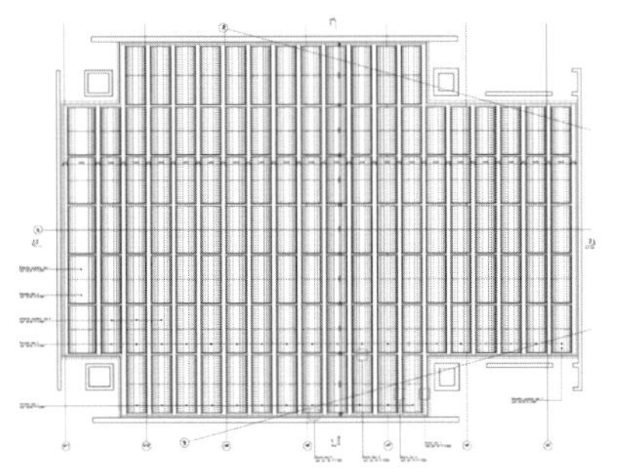

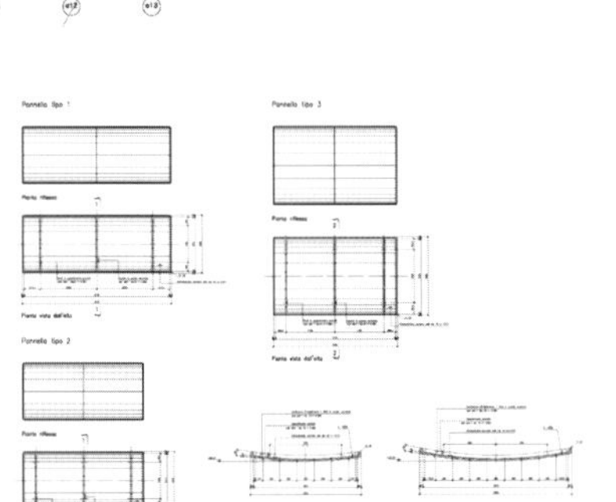

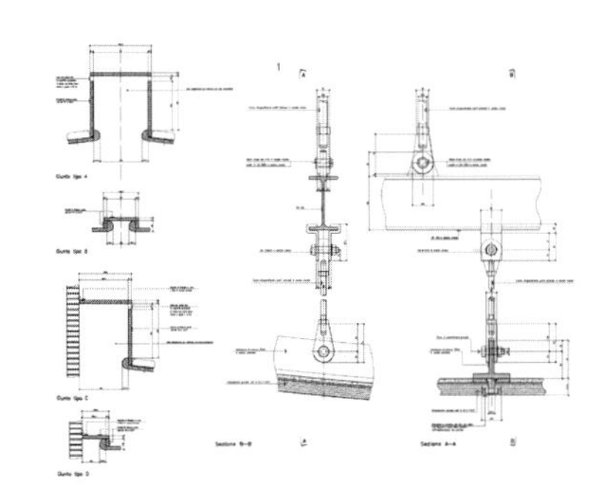

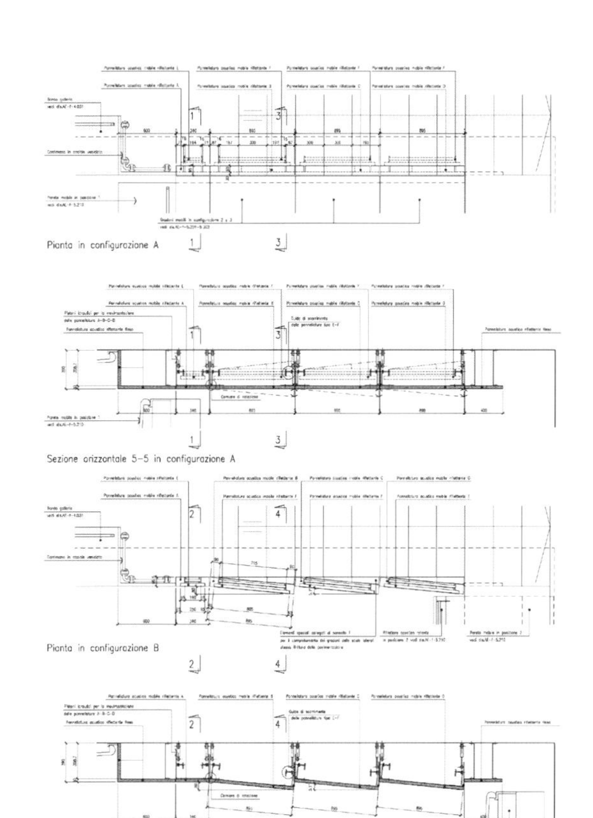

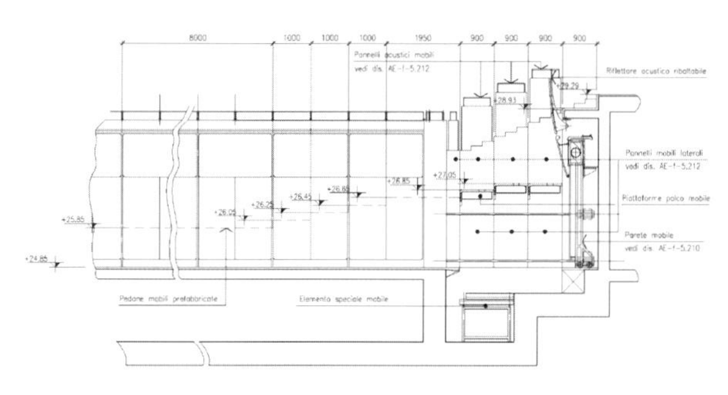

Sala 1200. Schemi delle configurazioni del palco mobile, della parete mobile e del riflettore acustico ribaltabile.

1200-seat hall. Schemes of the various possible configurations of the mobile stage and walls and of the retractable acoustic reflectors.

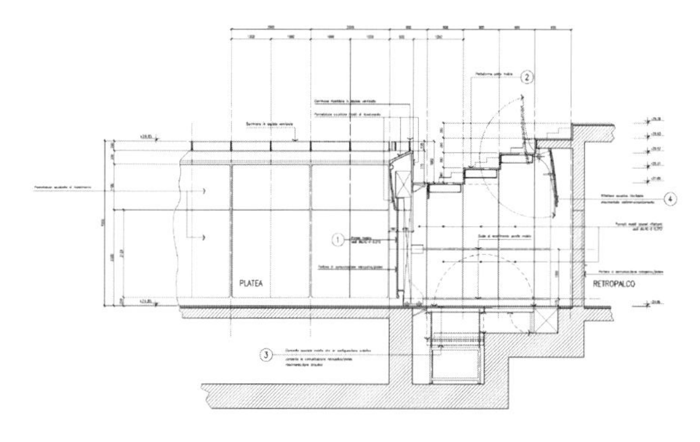

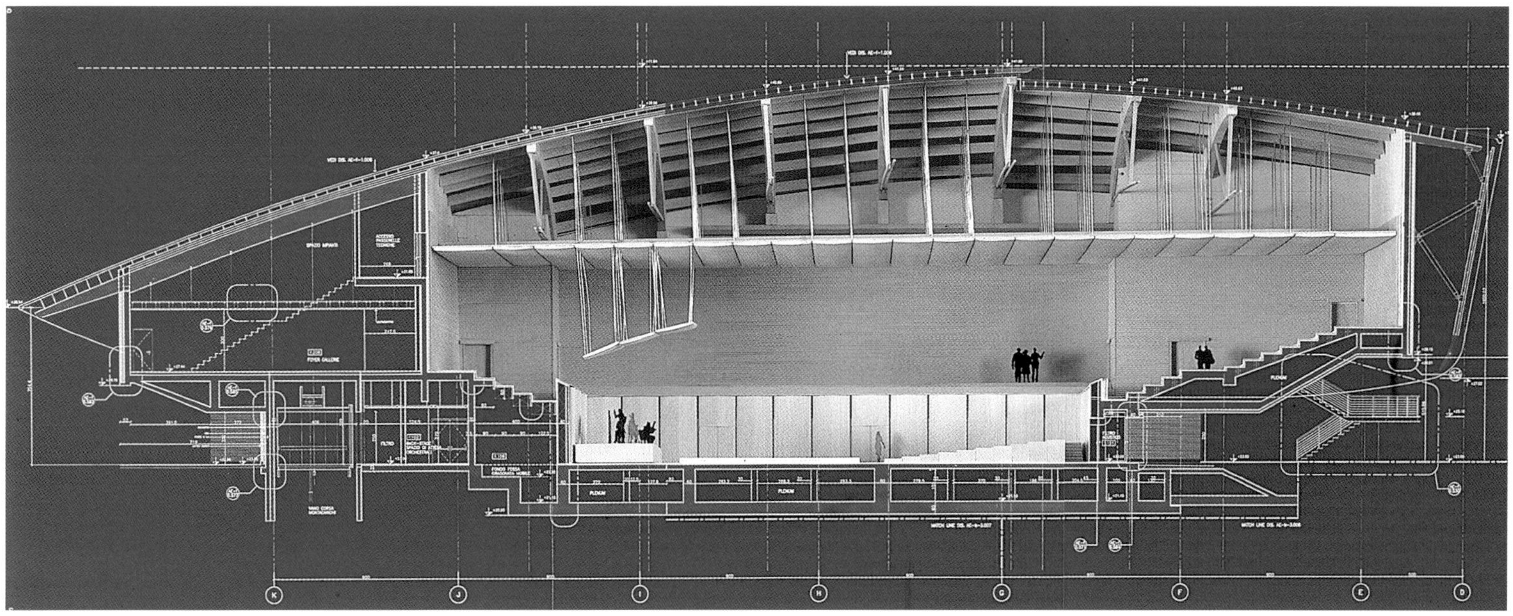

Schemi relativi all'isolamento acustico nella sala 1200 realizzati dallo studio Müller BBM GmbH di Monaco.

Schemes relative to the 1200-seat hall's acoustics isolation, realised by the Müller BBM GmbH, Munich.

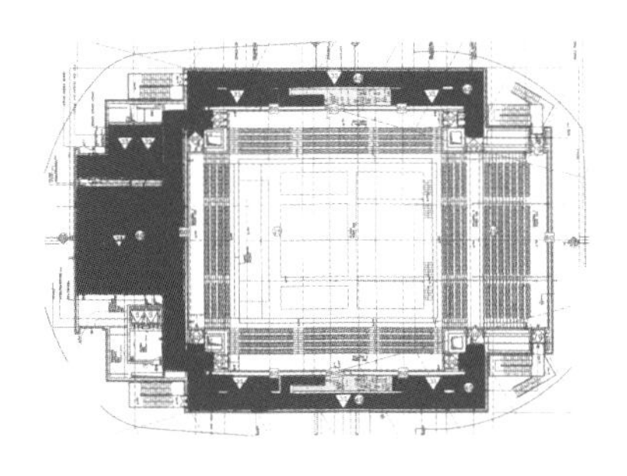

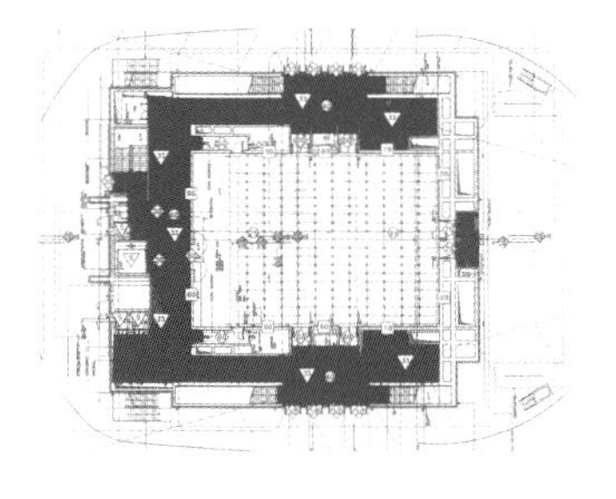

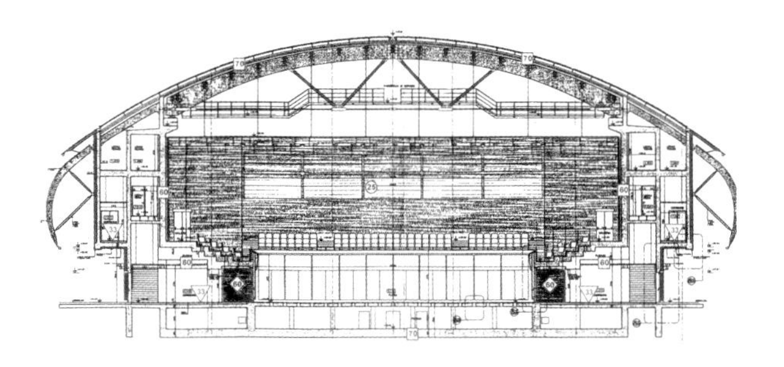

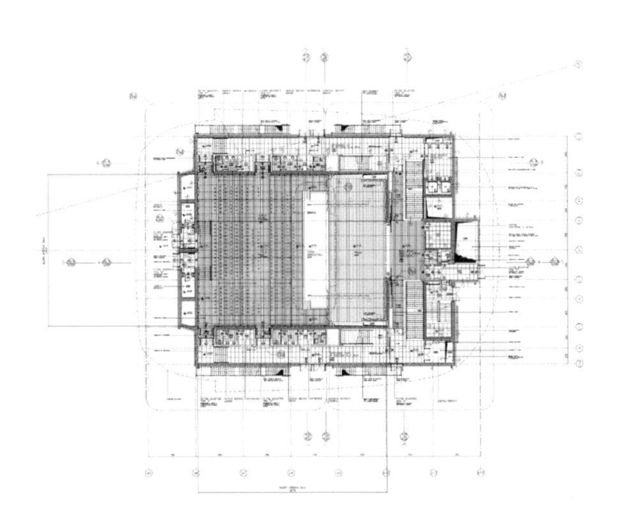

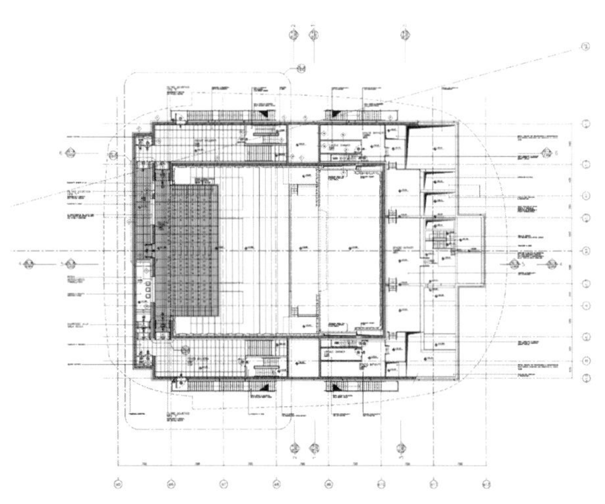

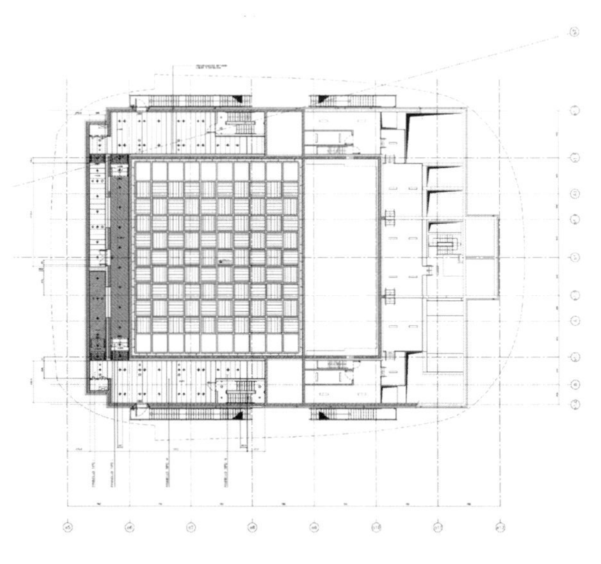

Sala 700. Pianta livello platea, pianta livello galleria e pianta controsoffitto.

700-seat hall. Plan of the stage level, plan of the gallery level, and plan of the reflected ceiling.

Schemi relativi agli elementi riflettenti a soffitto sospesi in modo variabile nella sala 700, realizzati dallo studio Müller BBM GmbH di Monaco.

Schemes relative to the reflecting ceiling elements suspended in variable made in the 700-seat hall realised by the Müller BBM GmbH, Munich.

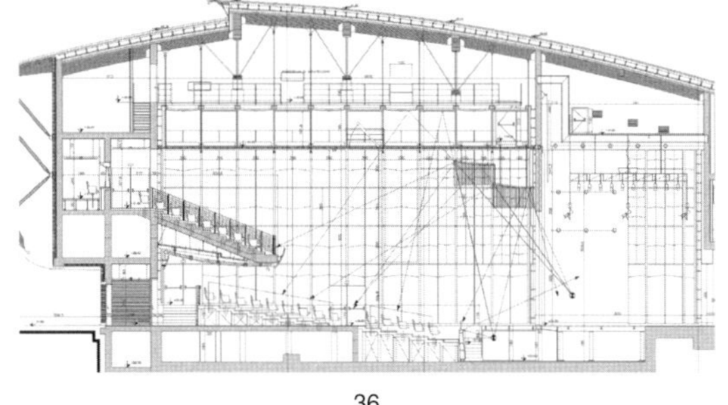

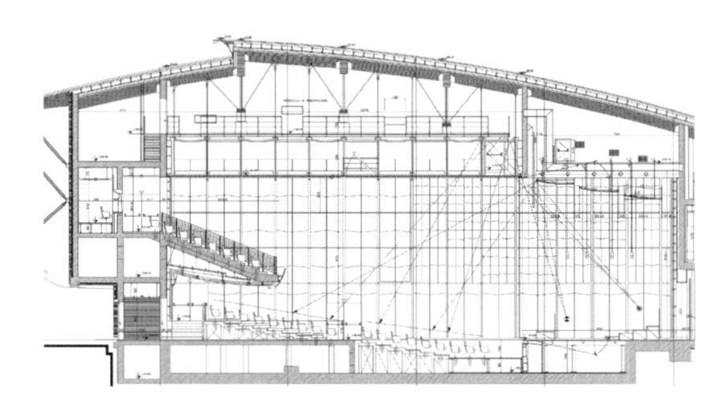

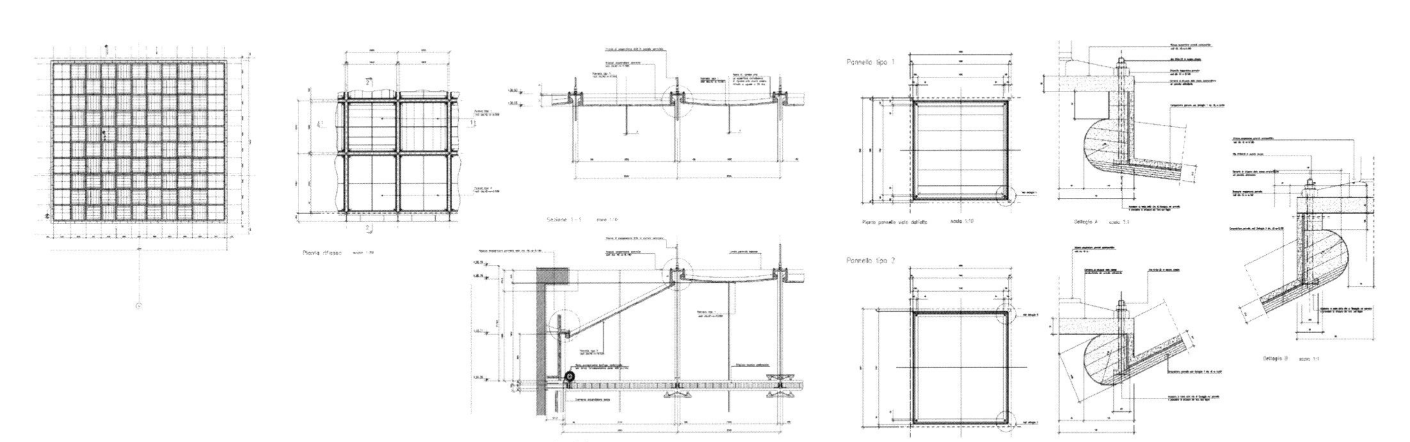

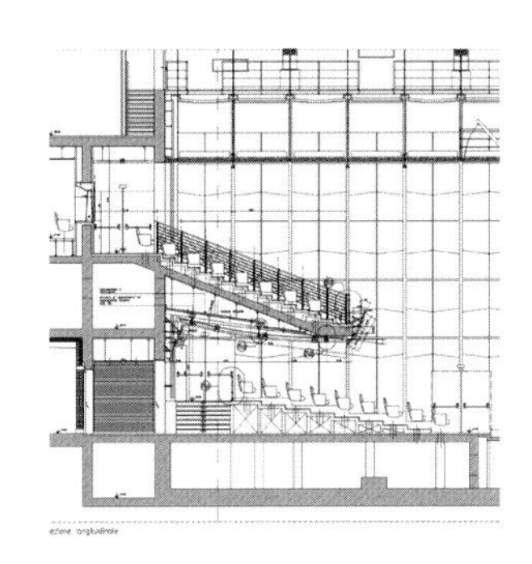

Prospetto e sezione della galleria.

Elevation and section of the gallery.

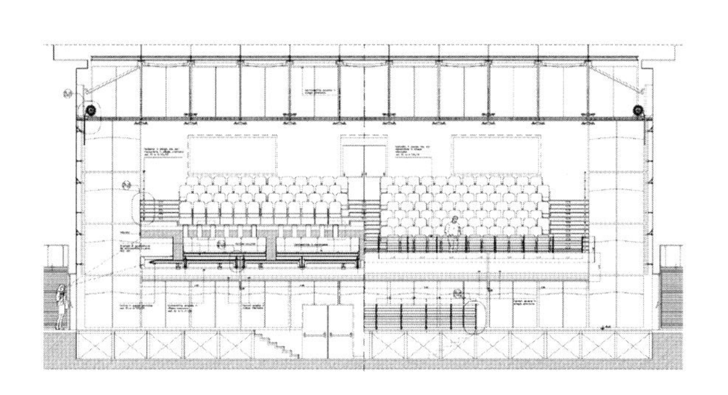

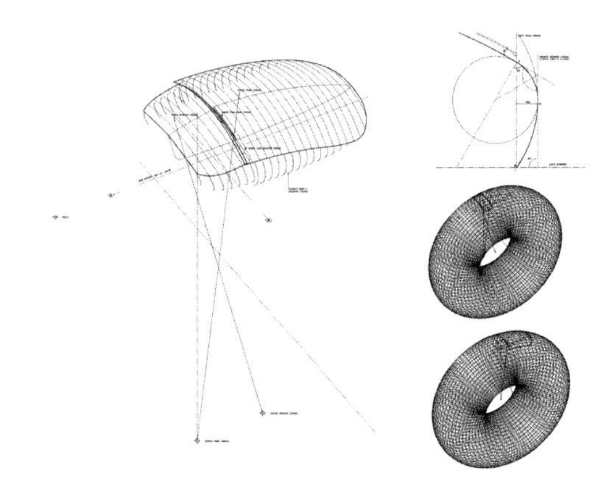

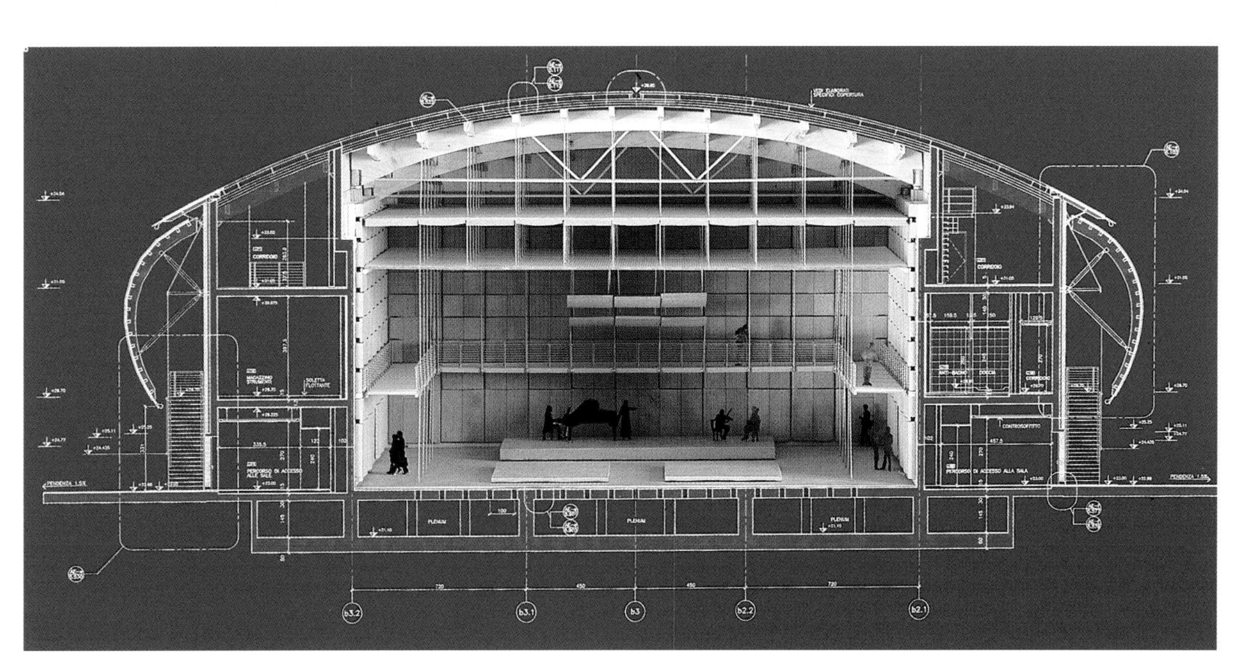

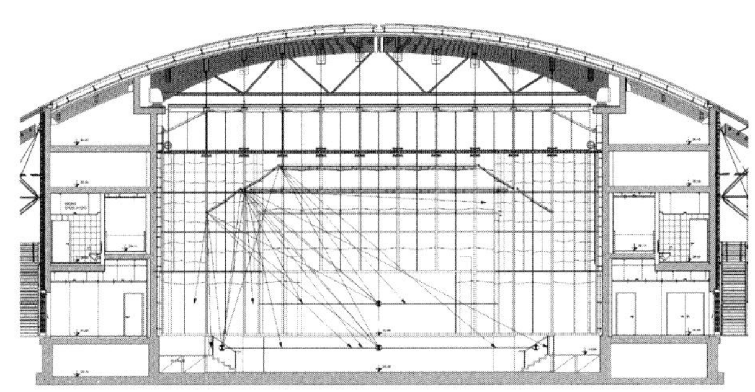

Dettaglio della fossa degli orchestrali.

Detail of the orchestra pit.

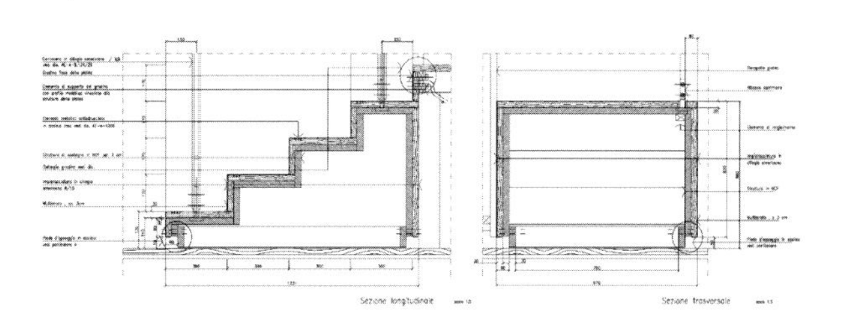

Sezione del guscio esterno dell'auditorium lungo la sezione trasversale.

Section of the external "shell" of the auditorium, along trasversal section.

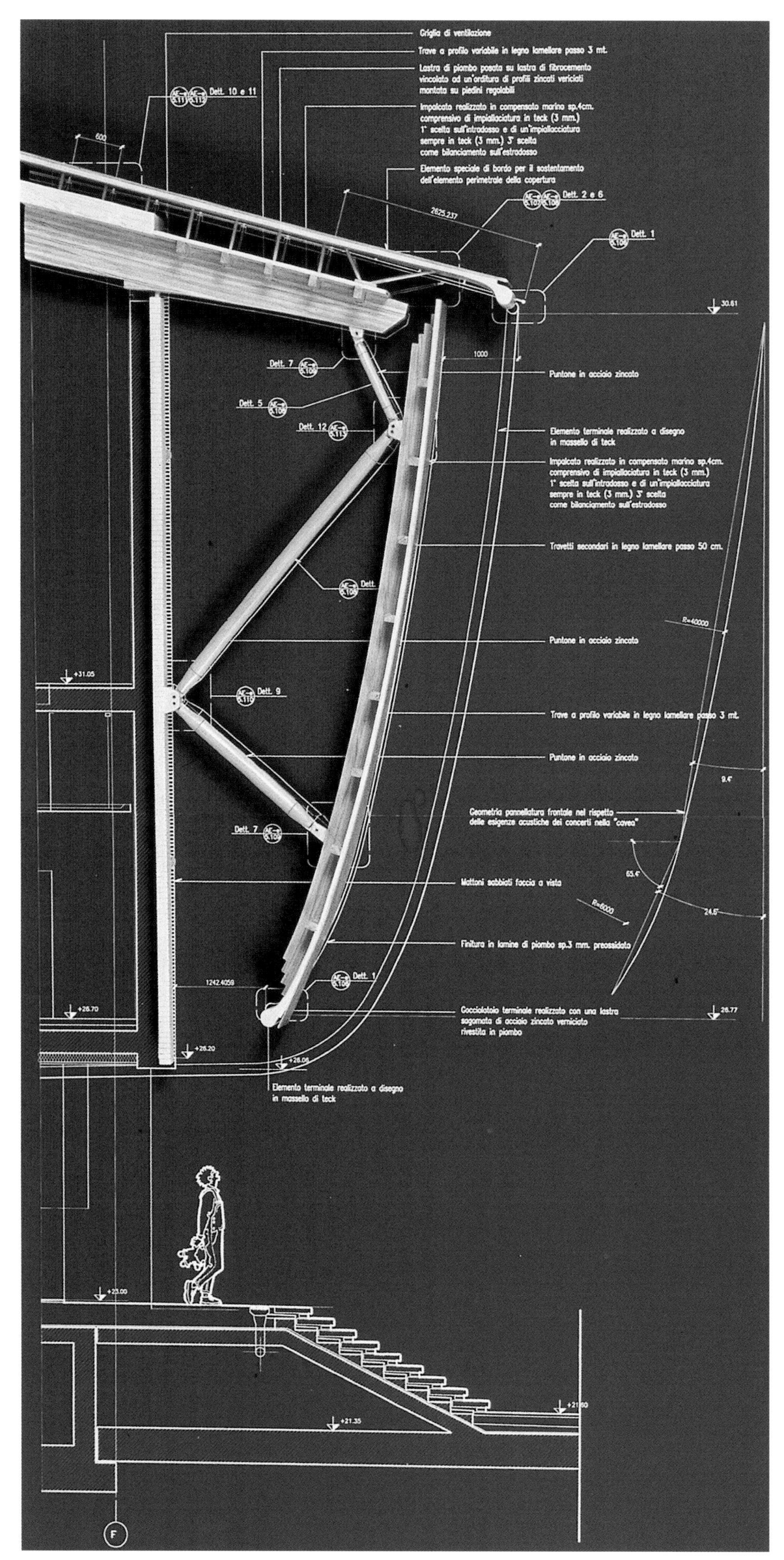

Sezione del guscio esterno dell'auditorium lungo la sezione longitudinale, chiamato "ricciolo".

Section of the external "shell" of the auditorium, along trasversal section, called "ricciolo".

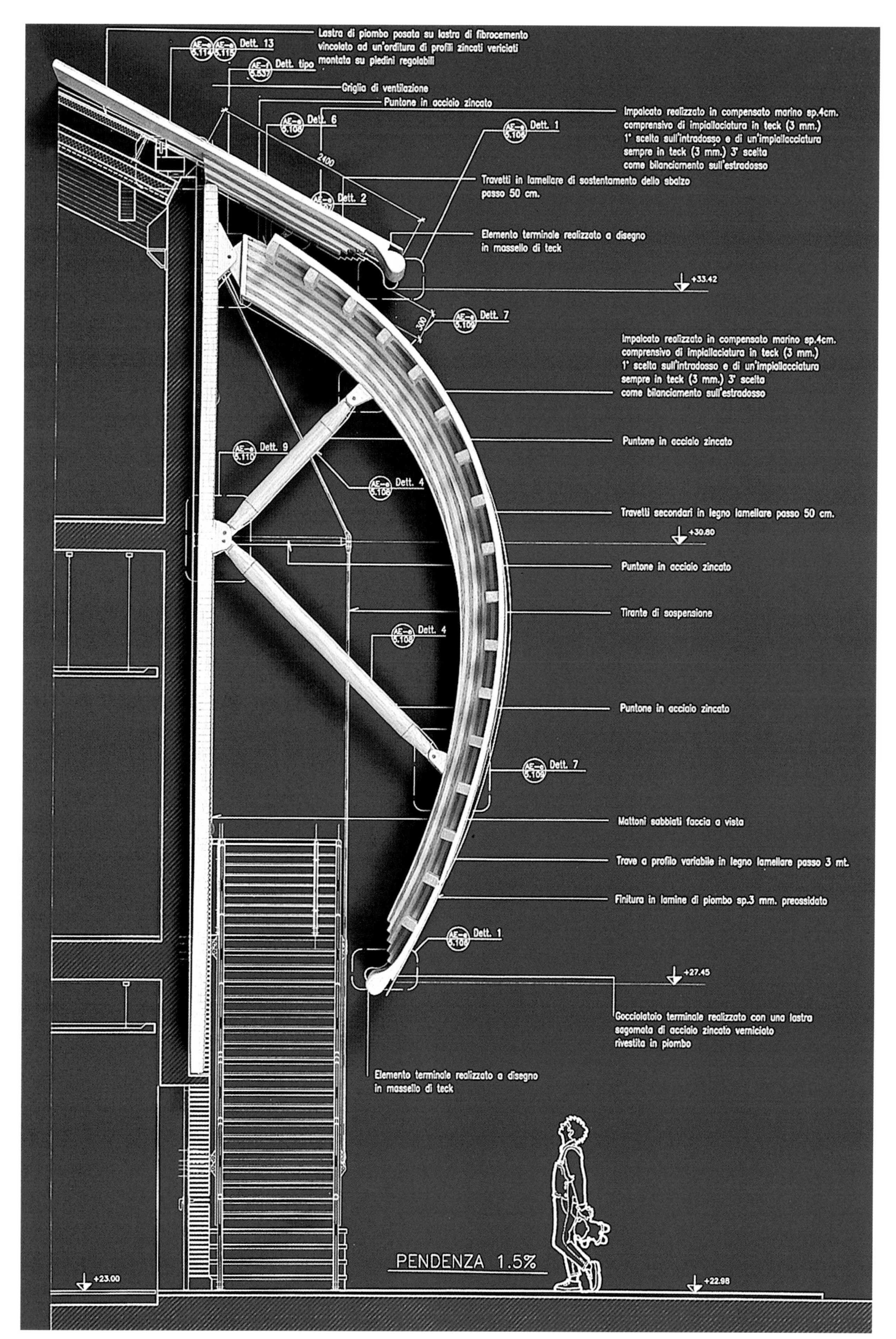

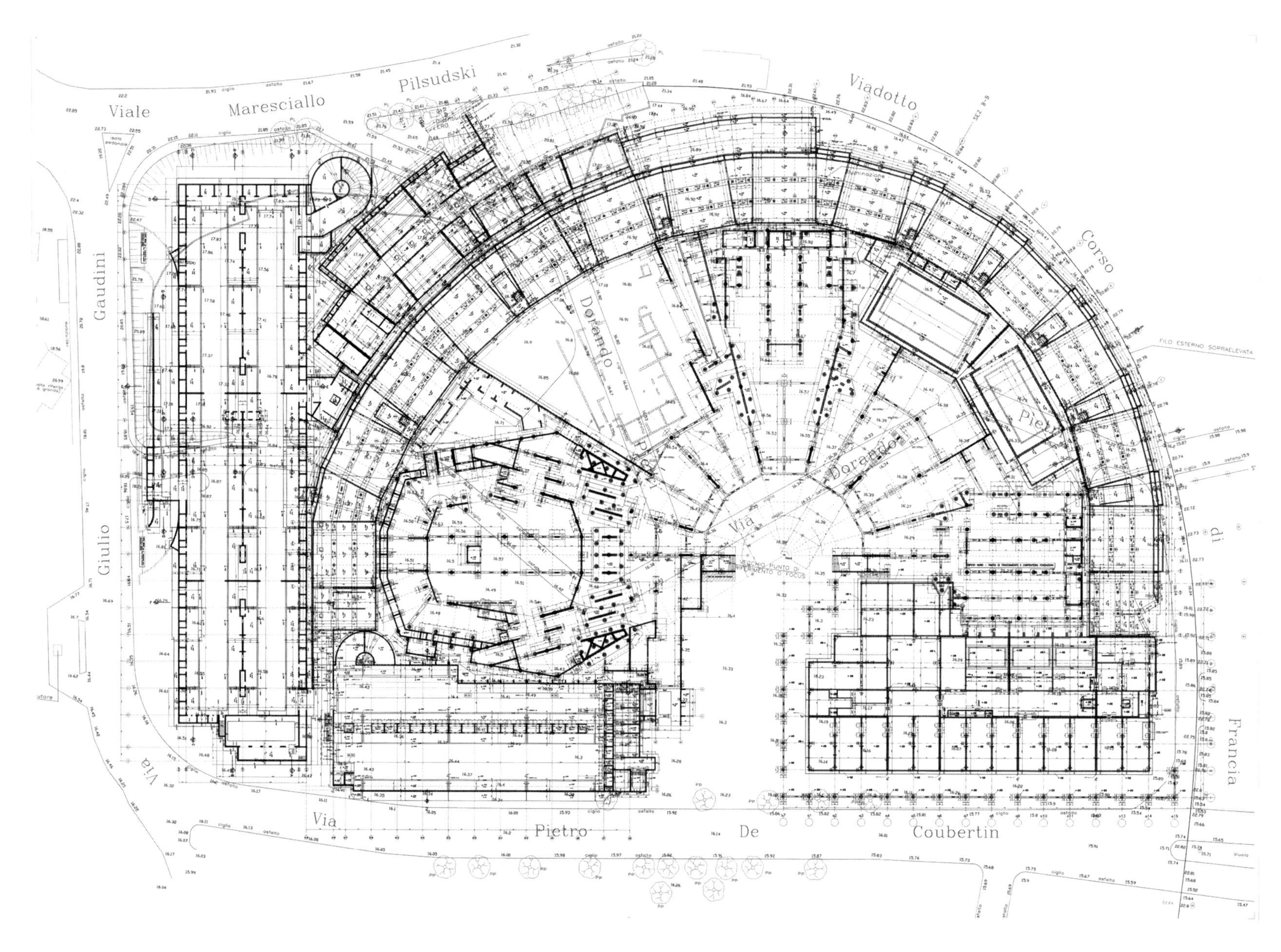

Pianta delle fondazioni.

Plan of the foundations.

1997-2001

Auditorium Niccolò Paganini

Parma, Italia

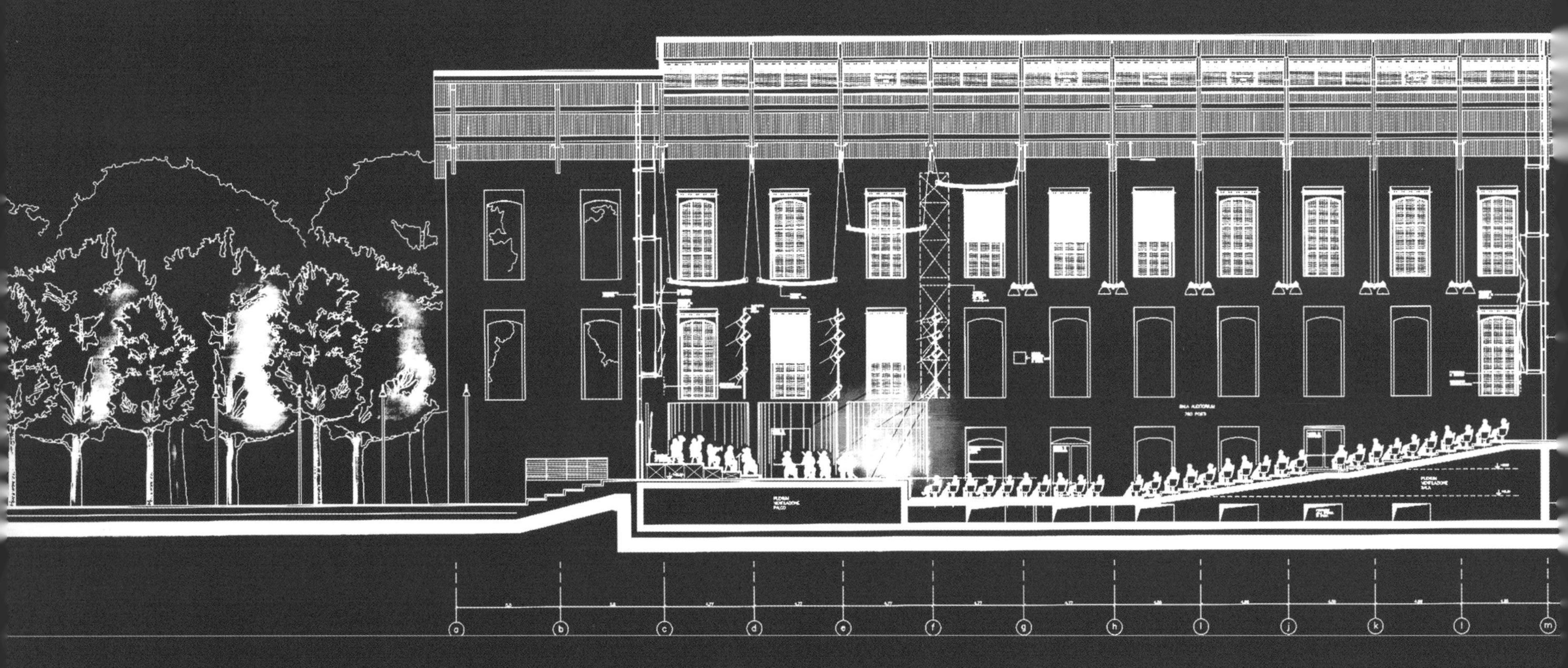

1997-2001

Niccolò Paganini Auditorium

Parma, Italy

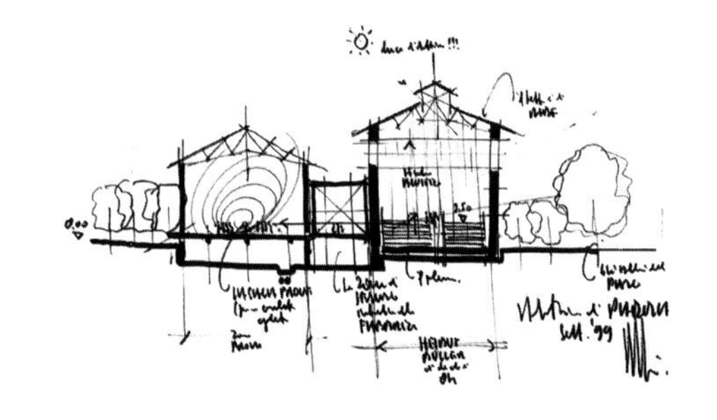

Il nuovo Auditorium di Parma è realizzato all'interno dell'area ex Eridania, un gruppo di edifici industriali dismessi, caratterizzati da volumetrie e da strutture estremamente diverse. Il tutto è vicino al centro storico, e inserito in un parco urbano ormai consolidato, caratterizzato dalla presenza di svariate essenze, molte delle quali di elevata qualità e ad alto fusto.
Molti fattori hanno contribuito a rendere ottimale la scelta di riconvertire l'edificio in un centro destinato alla musica. Le dimensioni del corpo principale (in cui sono inserite tutte le funzioni dedicate al pubblico e allo spettacolo: il foyer, la sala capace di 780 posti ed un palco in grado di ospitare un'orchestra sinfonica ed il coro) rispettano le proporzioni "canoniche" corrette in termini di resa acustica: l'ubicazione dell'edificio in mezzo al parco ha semplificato notevolmente le opere necessarie all'isolamento nei confronti dei rumori esterni e la disposizione dei vari corpi di fabbrica risulta particolarmente adatta ad accogliere la sala dell'auditorio, gli spazi di servizio e un'adeguata sala prove.
Il progetto ha previsto l'eliminazione delle pareti di tamponamento trasversali del corpo principale, e la loro sostituzione con tre grandi pareti vetrate, in modo da assicurare una totale trasparenza lungo tutto l'asse longitudinale del corpo di fabbrica, lungo circa 90 metri. In questo modo, è possibile avere la percezione del parco da qualunque punto della sala e del foyer, anche durante le manifestazioni musicali. Un sistema di pannellature acustiche sospeso alle capriate, in corrispondenza del palco, completa l'organizzazione spaziale del corpo principale di fabbrica.
L'ingresso pubblico all'auditorium, è posto a sud, aperto verso il parco. In successione, lungo l'asse longitudinale dell'edificio, troviamo un primo spazio all'aperto ma protetto dalla copertura, che media il passaggio dall'esterno all'interno dell'edificio attraverso la prima grande vetrata; da questa si passa al foyer, diviso in due livelli.
Il palco è posto al limite nord del fabbricato, in prossimità della parete vetrata trasversale di chiusura, ed ha una dimensione di circa 250 mq, tali da consentire di ospitare grandi compagnie musicali, composte da coro e orchestra.
La platea, capace di 780 posti divisi in 6 settori su 590 mq, si estende su un unico livello in leggera pendenza, per favorire la visibilità del palco stesso da tutte le file di posti.

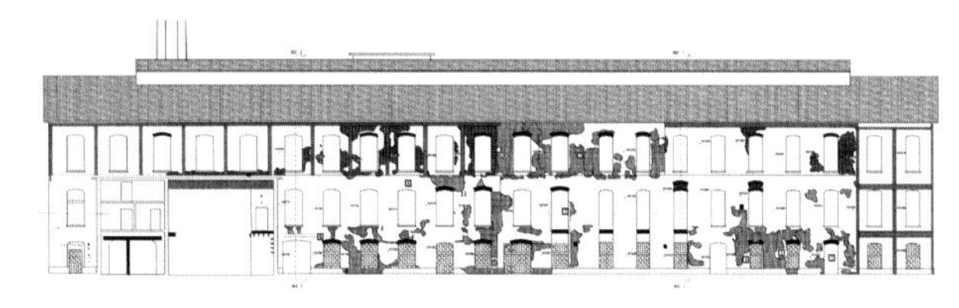

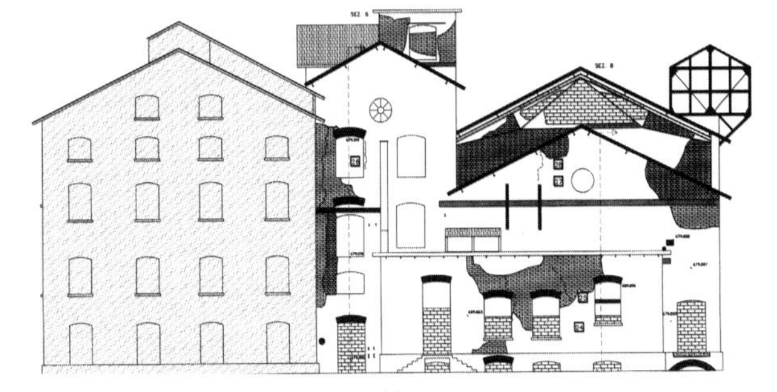

The Paganini auditorium was built inside the disused Eridania sugar factory, a group of industrial buildings of extremely different volumes and structure types. Close to the historical centre, it is located in a now well-established park, which contains many high quality tree and shrub specimens.
Its conversion into an auditorium was made possible thanks to ideal contributing factors. The size of the main block (which hosts the functions dedicated to the musical events: the foyer, the hall and the stage) respects the basic criteria regarding acoustic proportions: its location in the park simplified the soundproofing work and, after the necessary elimination of the extensions, the layout of the various factory units was suitable for holding the auditorium hall, and the service and rehearsal spaces.
The project included eliminating the main body's transversal curtain walls, and replacing them with three large glass walls, to ensure transparency throughout the length of the 90 metres long building. Even during concerts, the park can be seen from any viewpoint in the hall and foyer. A system of soundproof panels hung from the trusses over the stage completes the spatial organisation of the main body.
The public enters through the south end, and proceeds through the building's length: there is first a roofed open air space, leading inside, passing through the first wide glass wall; from here one continues on to the two-levels foyer.
Located at the north end, near the glass end-wall, the 250 square metres stage offers enough space for large musical companies, made of a choir and orchestra.
The 780 seats stalls, divided in 6 sections over 590 square metres, covers a slight sloping single level, favouring visibility from all the rows of seats.

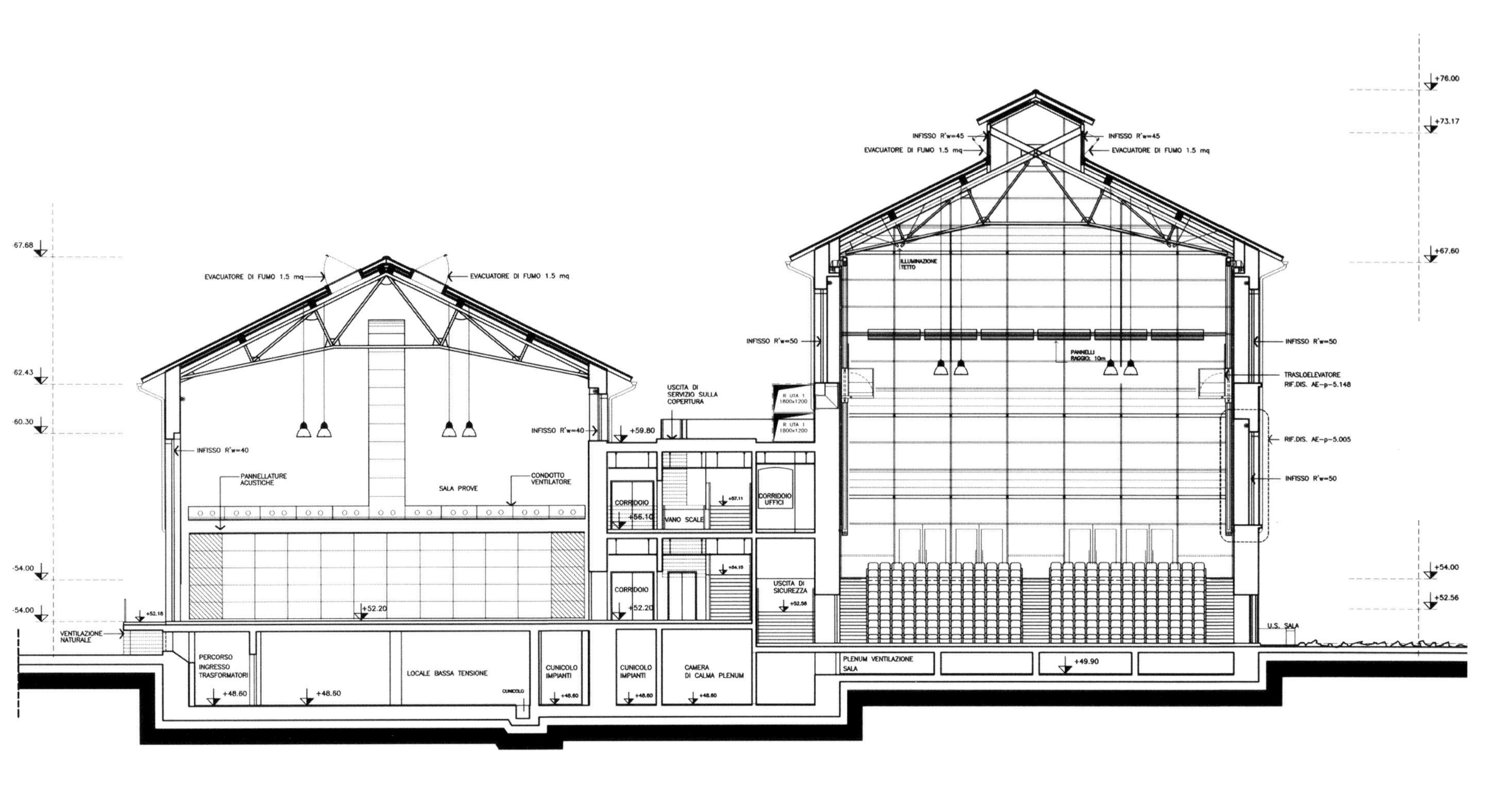

INFISSO R'w=45
EVACUATORE DI FUMO 1.5 mq
INFISSO R'w=45
EVACUATORE DI FUMO 1.5 mq
+76.00
+73.17
67.68
EVACUATORE DI FUMO 1.5 mq
EVACUATORE DI FUMO 1.5 mq
ILLUMINAZIONE TETTO
+67.60
INFISSO R'w=50
INFISSO R'w=50
PANNELLI RAGGIOL 10m
62.43
TRASLOELEVATORE
RIF.DIS. AE-p-5.148
USCITA DI SERVIZIO SULLA COPERTURA
60.30
INFISSO R'w=40
+59.80
RIF.DIS. AE-p-5.005
INFISSO R'w=40
PANNELLATURE ACUSTICHE
SALA PROVE
CONDOTTO VENTILATORE
CORRIDOIO
+56.10
VANO SCALE
CORRIDOIO UFFICI
INFISSO R'w=50
54.00
CORRIDOIO
+52.20
USCITA DI SICUREZZA
+54.00
54.00
+52.20
+52.56
VENTILAZIONE NATURALE
U.S. SALA
PERCORSO INGRESSO TRASFORMATORI
LOCALE BASSA TENSIONE
CUNICOLO IMPIANTI
CUNICOLO IMPIANTI
CAMERA DI CALMA PLENUM
PLENUM VENTILAZIONE SALA
+49.90
+48.60
+48.60

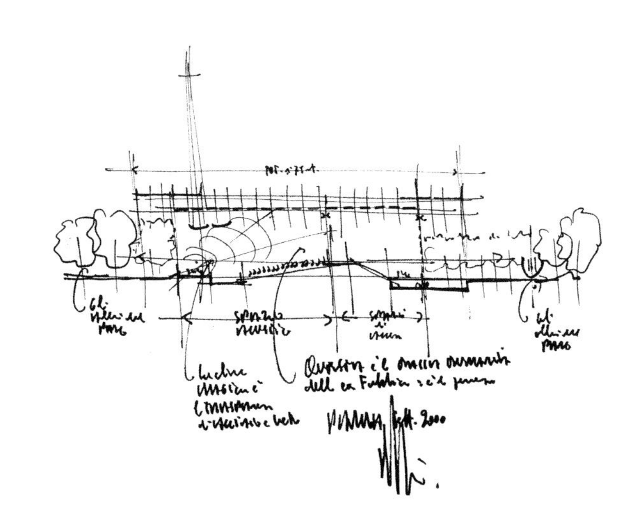

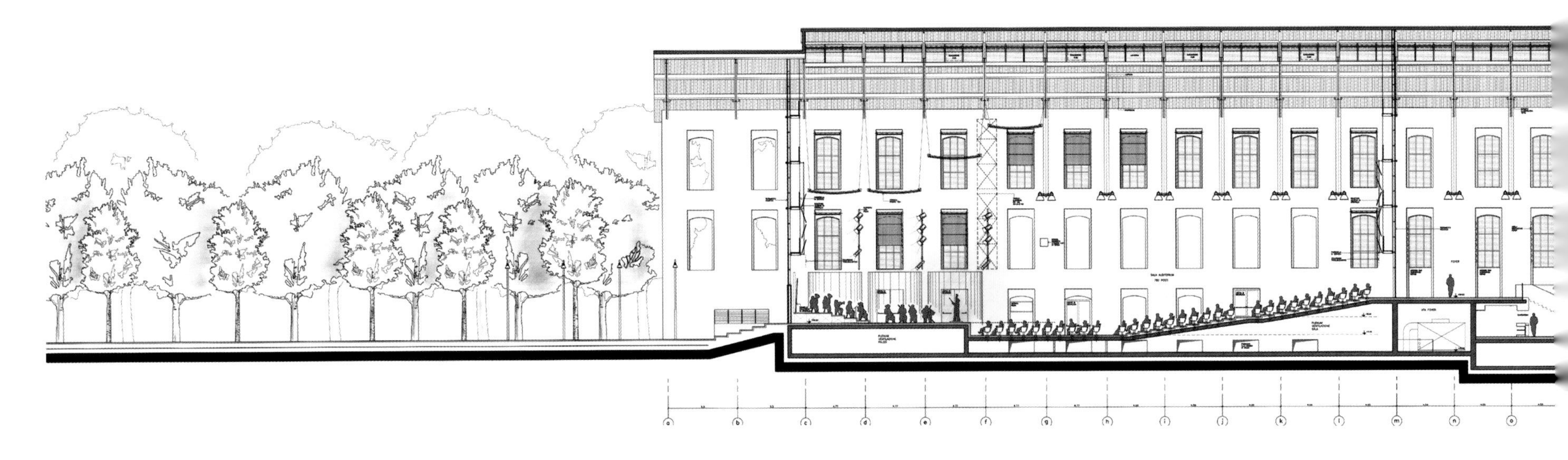

Istantanee scattate durante la realizzazione di un modello di studio.

Shots taken during the realisation of a study model.

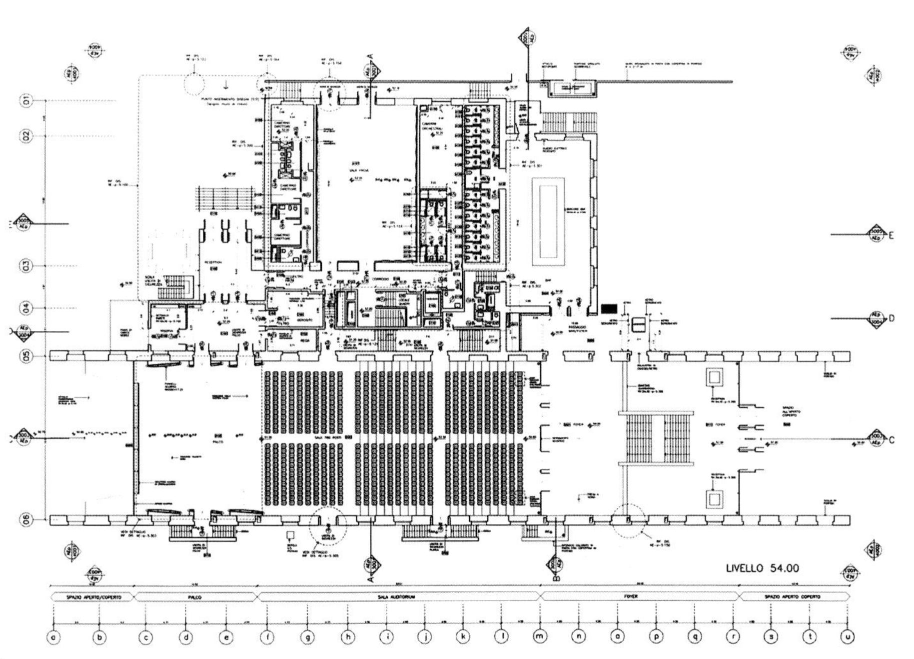

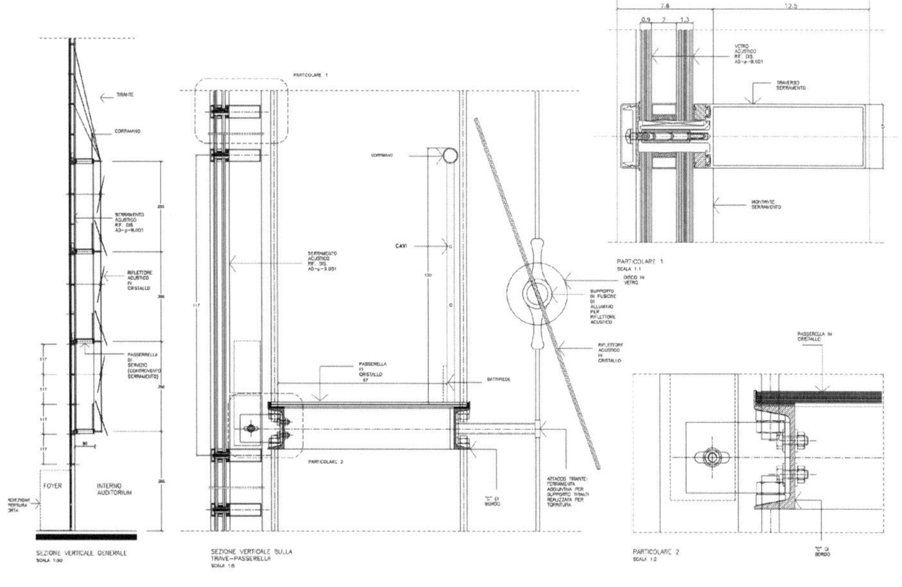

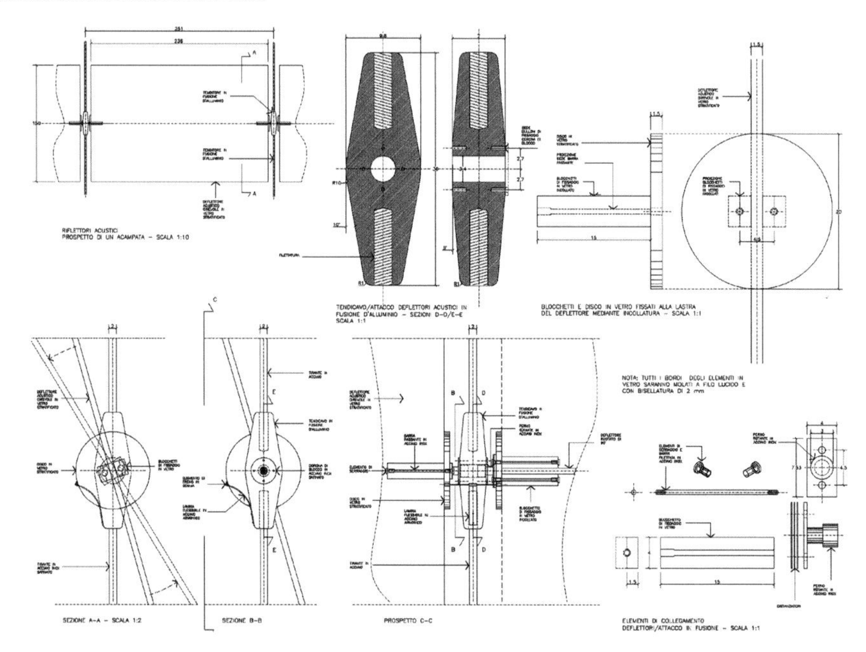

L'acustica è ottimizzata anche grazie alla presenza di deflettori in cristallo.

Acoustics are optimised thanks to glass deflectors.

Studi per la riflessione acustica realizzati da Müller BBM GmbH di Monaco.

Studies on acoustic reflection conducted by Müller BBM GmbH in Munich.

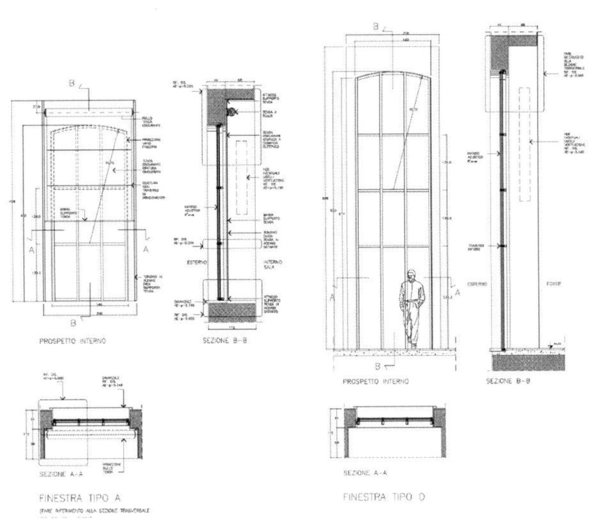

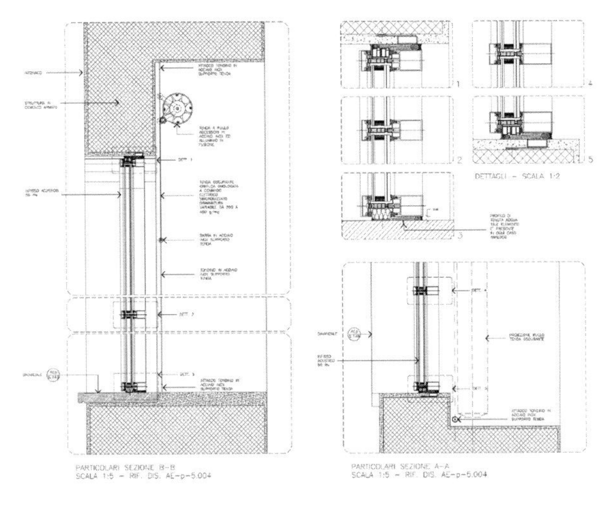

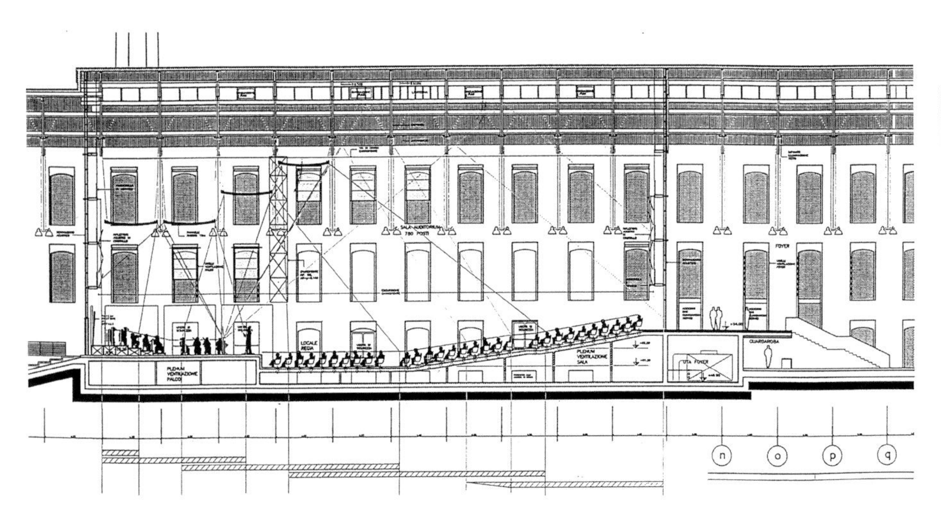

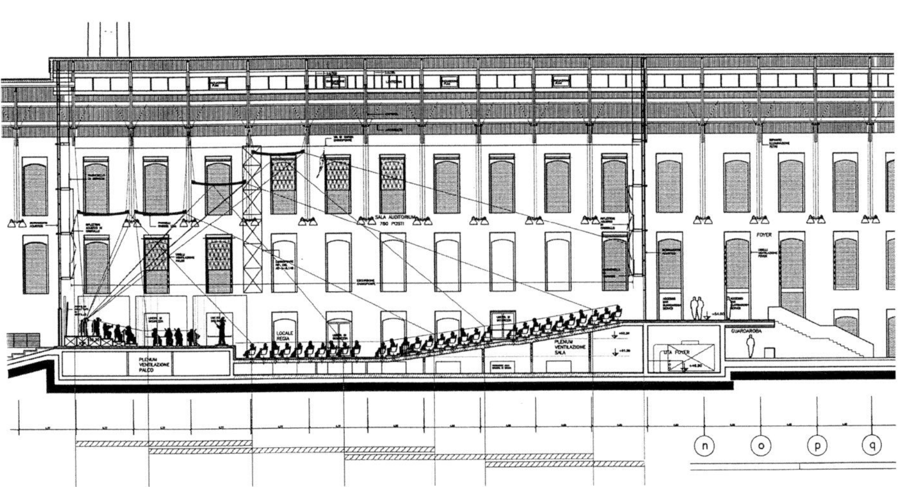

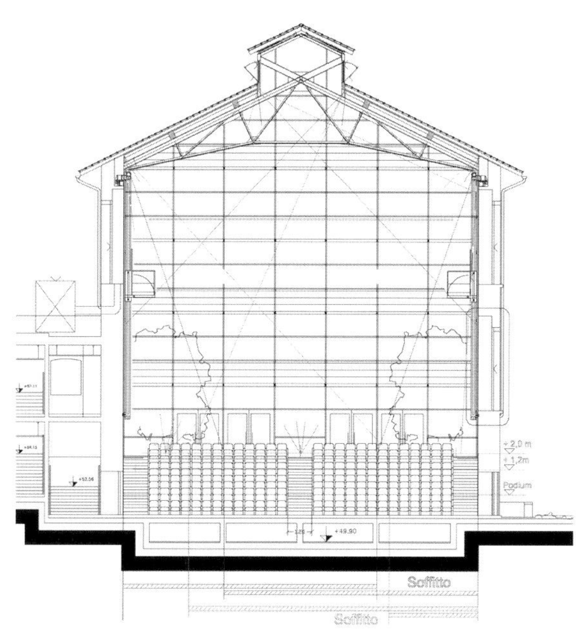

+2,0 m
+1,2 m
Podium
Soffitto
Soffitto

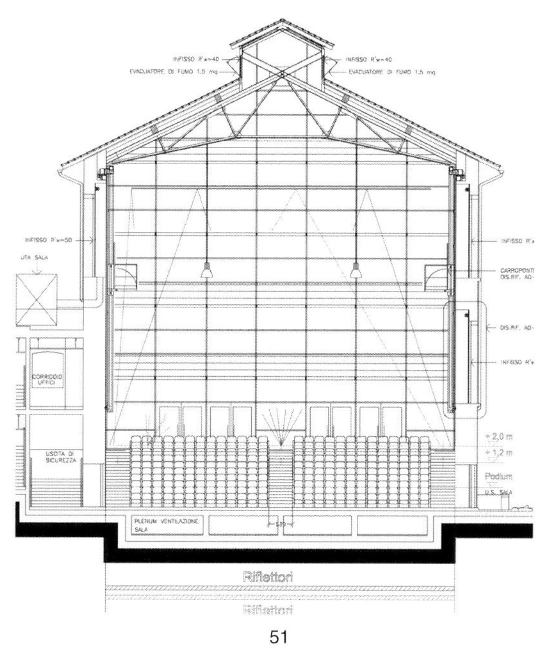

EVACUATORE DI FUMO 1,5 mq
EVACUATORE DI FUMO 1,5 mq
CORRIDOIO UFFICI
USCITA DI SICUREZZA
+2,0 m
+1,2 m
Podium
PLENUM VENTILAZIONE SALA
Riflettori
Riflettori

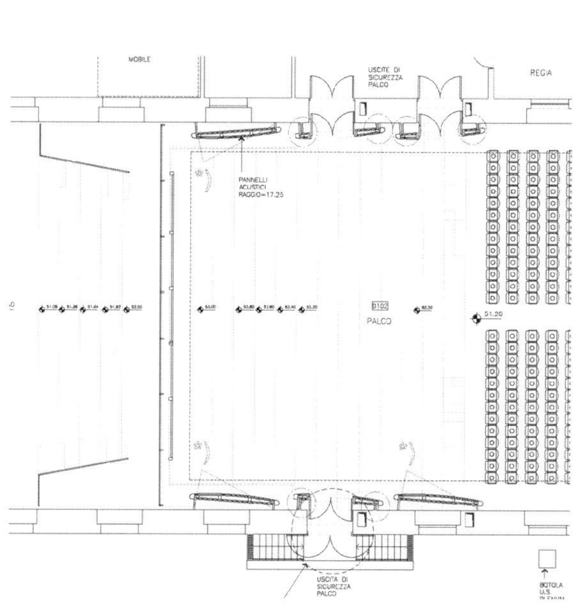

MOBILE
USCITE DI SICUREZZA PALCO
REGIA
PANNELLI ACUSTICI
PALCO
USCITA DI SICUREZZA PALCO
BOTOLA

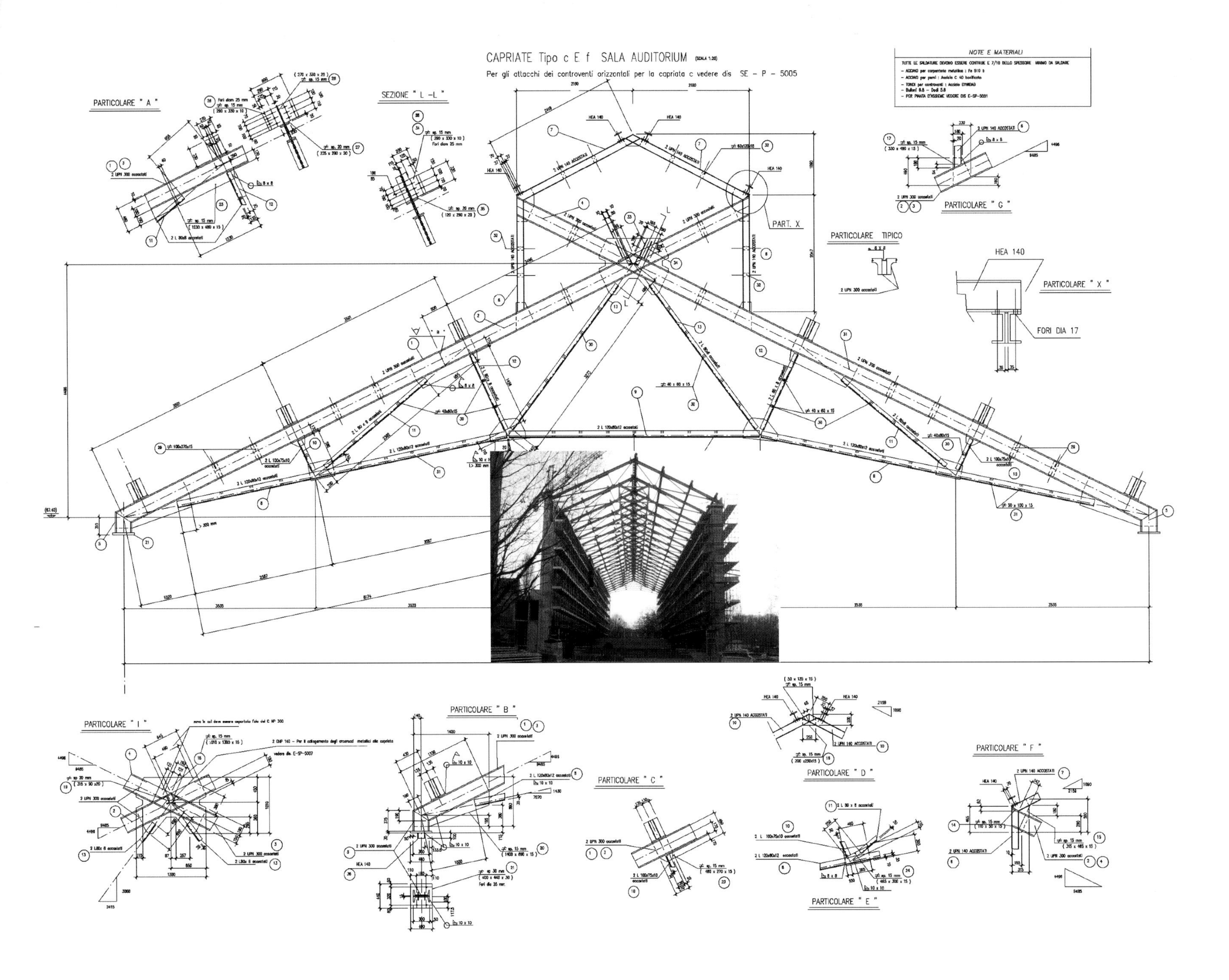
CAPRIATE Tipo c E f SALA AUDITORIUM
Per gli attacchi dei controventi orizzontali per la capriata c vedere dis SE - P - 5005
NOTE E MATERIALI
PARTICOLARE " A "
SEZIONE " L -L "
PART. X
PARTICOLARE TIPICO
HEA 140
PARTICOLARE " X "
FORI DIA 17
PARTICOLARE " G "
PARTICOLARE " I "
PARTICOLARE " B "
PARTICOLARE " C "
PARTICOLARE " D "
PARTICOLARE " E "
PARTICOLARE " F "

1992-2000

Teatro in Potsdamer Platz

Berlino, Germania

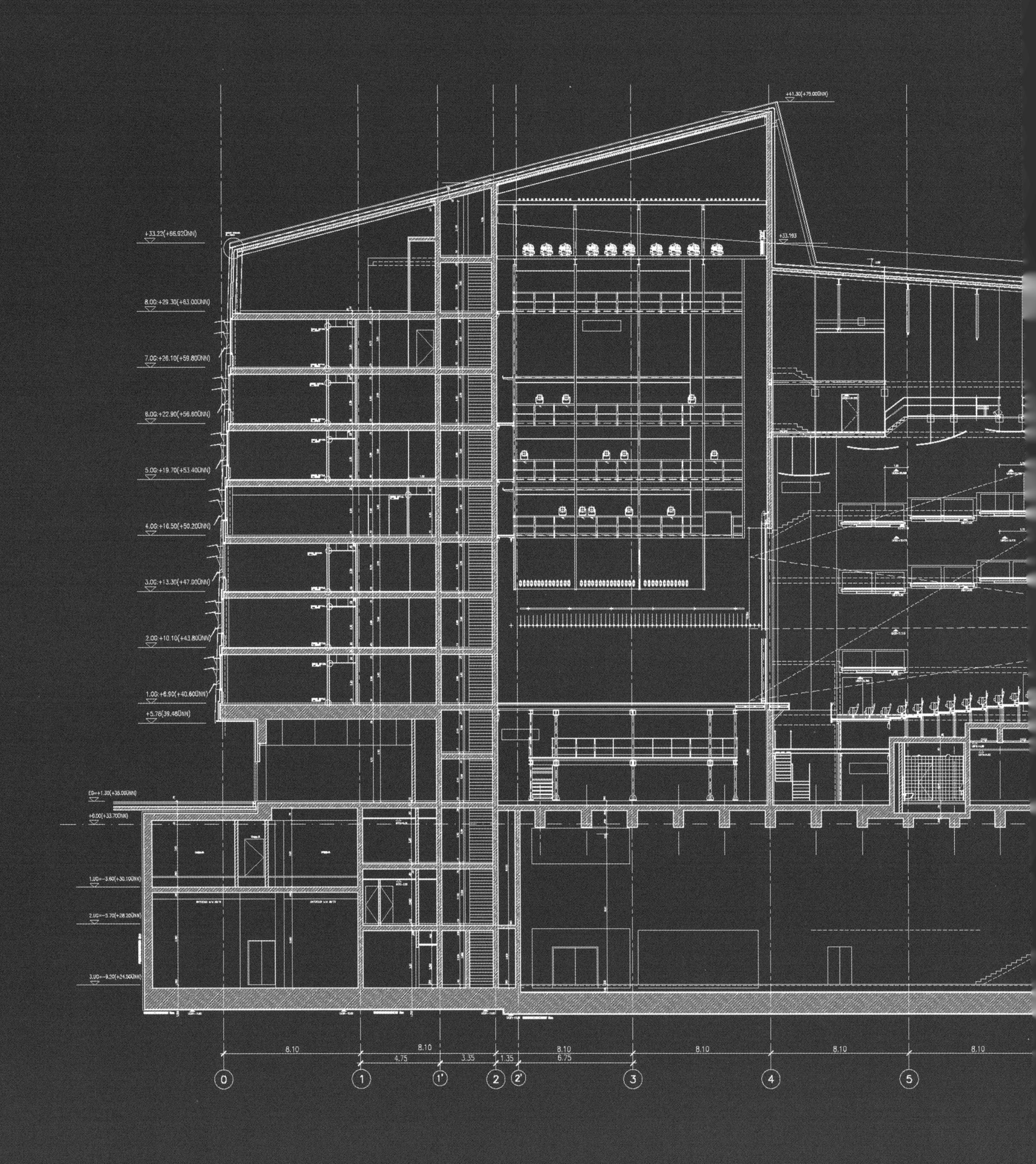

1992-2000

Theatre on Potsdamer Platz

Berlin, Germany

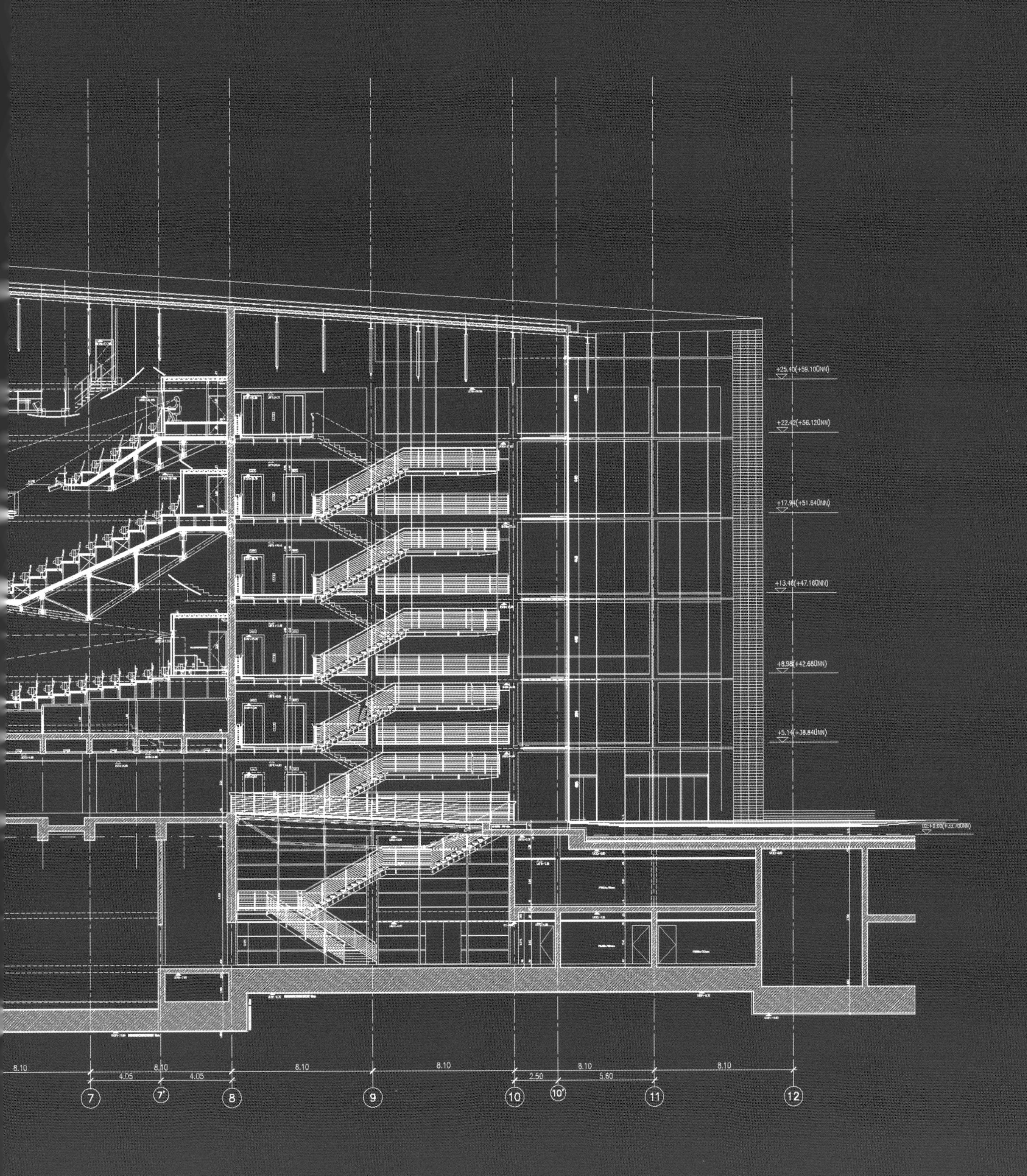

Poco dopo la riunificazione tedesca un concorso di architettura indetto da Daimler-Chrysler lanciò la ricostruzione della Potsdamer Platz, l'antico centro economico e culturale di Berlino che la guerra e la divisione della città avevano trasformato in un vasto "no man's land" tagliato a metà dal Muro.
Delle 18 costruzioni che compongono il progetto della nuova Potsdamer Platz, la musica e lo spettacolo trovano posto in un insieme di edifici, composto da un teatro e da un casinò.
Il complesso è adiacente alla Neuestaatsbibliothek (uno dei rari edifici preesistenti in sito), ne sposa le forme e ne riprende il rivestimento costituito da pannelli metallici.
Il nuovo quartiere, dalle proporzioni simili a quelle dei centri storici delle piccole città italiane presenta come punto centrale la Marlene-Dietrich-Platz. Posta al limite della storica Potsdamerstrasse, questa piccola piazza pedonale, in lieve pendenza, termina nell'angolo formato dal complesso teatro-casinò: grazie all'immenso foyer in vetro, completamente aperto e trasparente, la piazza sembra continuare all'interno stesso del teatro.
In questo caso la sala da spettacolo, con una capacità di duemila posti, è un vero teatro, composto da un parterre, da una serie di balconate e di palchi. La sala è deliberatamente compatta al fine di ottimizzare la visibilità e l'acustica. Il complesso sistema della scena (l'altezza della torre scenica raggiunge i 24 metri) permette di accogliere spettacoli di diverso tipo, adattandosi alla misura della produzione. La qualità acustica è garantita da un sistema di pannelli di legno, sulle pareti e sul soffitto. Tende mobili in tessuto consentono di modificarne completamente l'acustica, trasformandola in una sala cinematografica.
Il teatro è diventato rapidamente popolare grazie al fatto che ospita le commedie musicali e anche perché ogni anno vi ha luogo il Film Festival.

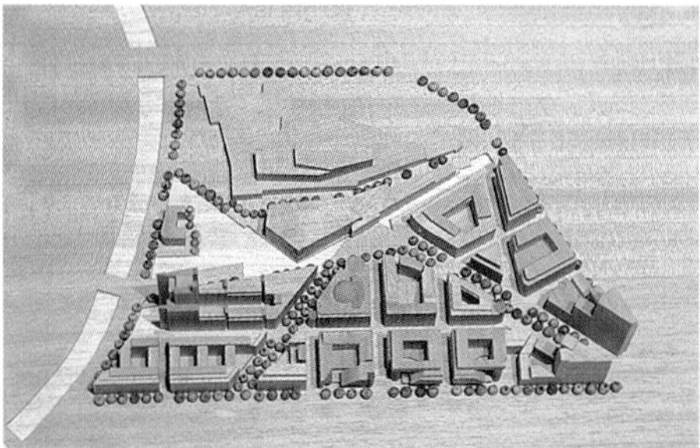

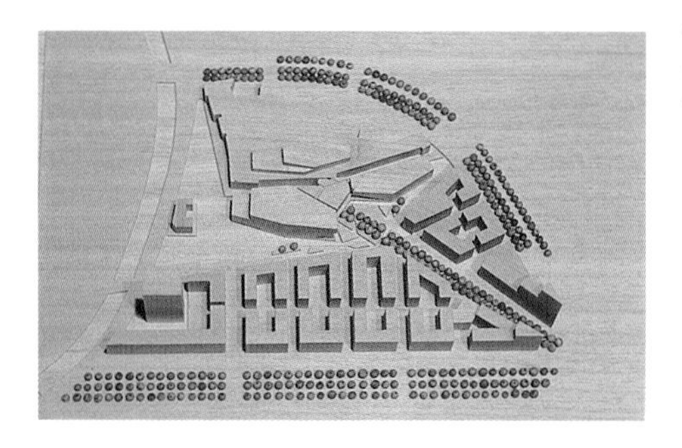

Modello del master plan che ha generato il progetto definitivo.
Modello di concorso dove sono già evidenti i temi conduttori dell'acqua del verde e della piazza, sviluppati nel master plan.

Model of master plan that generated the final project.
Competition model: the piazza and the presence of water and vegetation were guidelines, subsequently developped in the master plan.

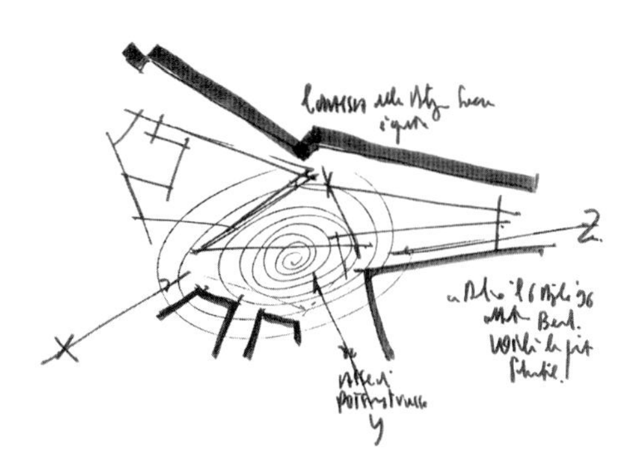

Shortly after the German reunification, an architectural competition organised by Daimler-Chrysler launched the reconstruction of Potsdamer Platz, the former economic and cultural heart of Berlin: the war and the division of the city had transformed it into a vast no man's land, cut in half by the Wall.
Amongst the 18 buildings composing the new Potsdamer Platz project, music and drama find their place in a complex ensemble, composed of a theatre and a casino.
Positioned parallel to the Neuestaatsbibliothek (one of the few pre-existing buildings of the site), it follows its form, slightly breached at the centre, and also echoes its metallic cladding panels.
This new district, with its proportions similar to those of the historical centres of typical small Italian towns, culminates in the Marlene-Dietrichplatz. Situated at the end of the historical Potsdamerstrasse, this small pedestrian square, with a gentle slope, terminates at the angle formed by the theatre-casino complex. With the immense glazed foyer, completely open and transparent, the square

seems to continue right inside the theatre.
In this particular case, the auditorium, of two thousand seats, is a true theatre, with stalls, a series of balconies and lateral boxes. The seating area is intentionally compact in order to optimise the visibility and acoustics. A complex stage system (the height of the stage and fly tower is 24 metres) permits various types of performance, adapting to the size of the production. The acoustic quality is guaranteed by a system of wood panels on the walls and ceiling. Movable fabric blinds allow the acoustics to be completely modified in order to use the theatre for film projections.
This auditorium has rapidly become popular in Berlin, with the musical comedies which it houses, and also because, since its inauguration, the yearly Berlin film festival is held here.

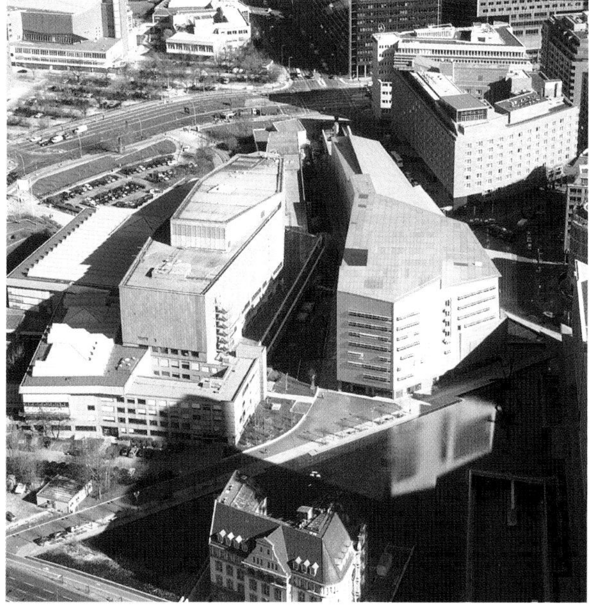

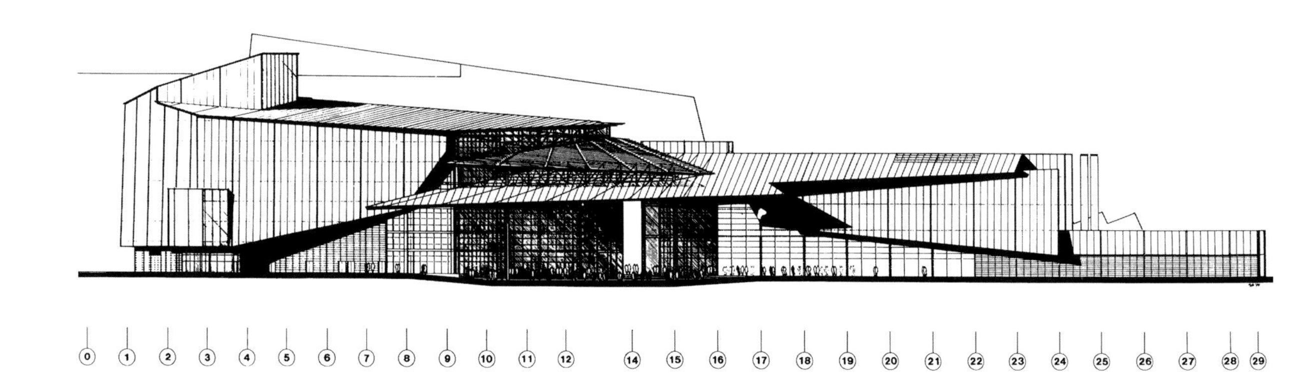
0 1 2 3 4 5 6 7 8 9 10 11 12 14 15 16 17 18 19 20 21 22 23 24 25 26 27 28 29

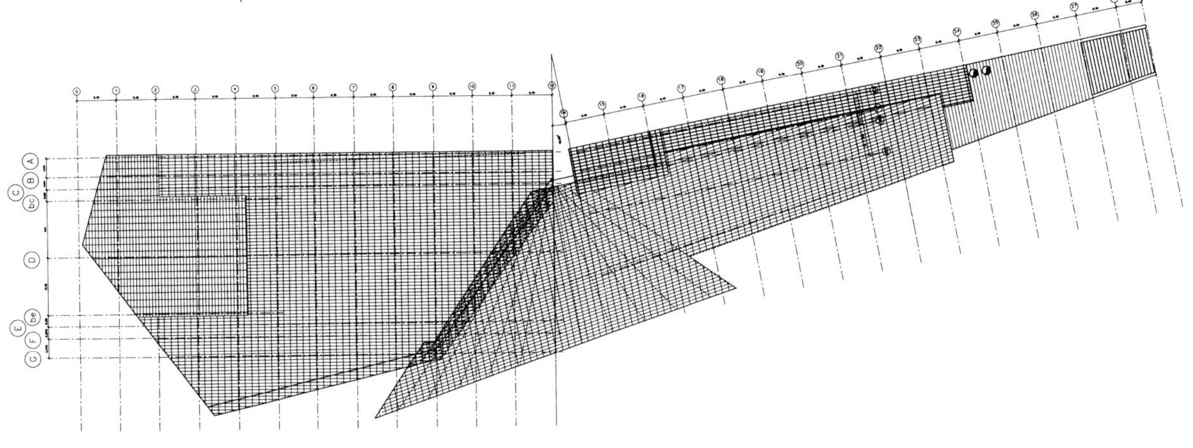

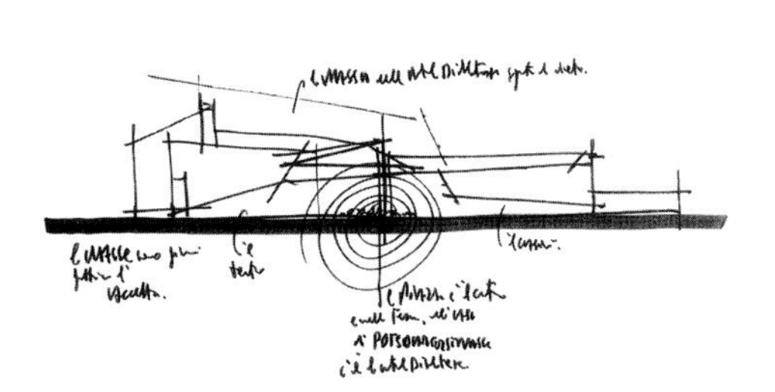

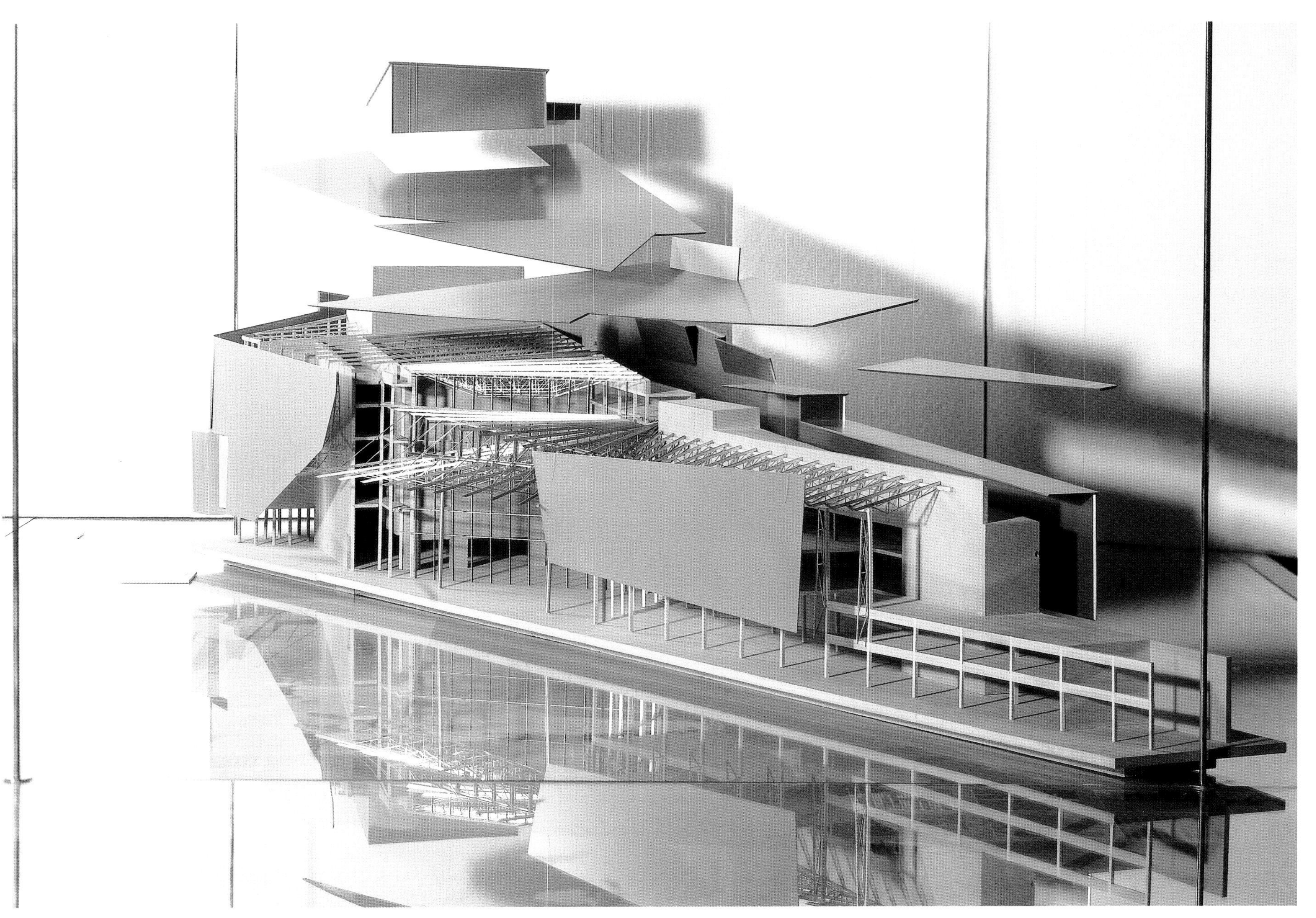

NOTRE DAME
DIE MUSICAL-WELTPREMIERE IN BERLIN AM 5. JUNI 1999
CINEMAXX
STELLA

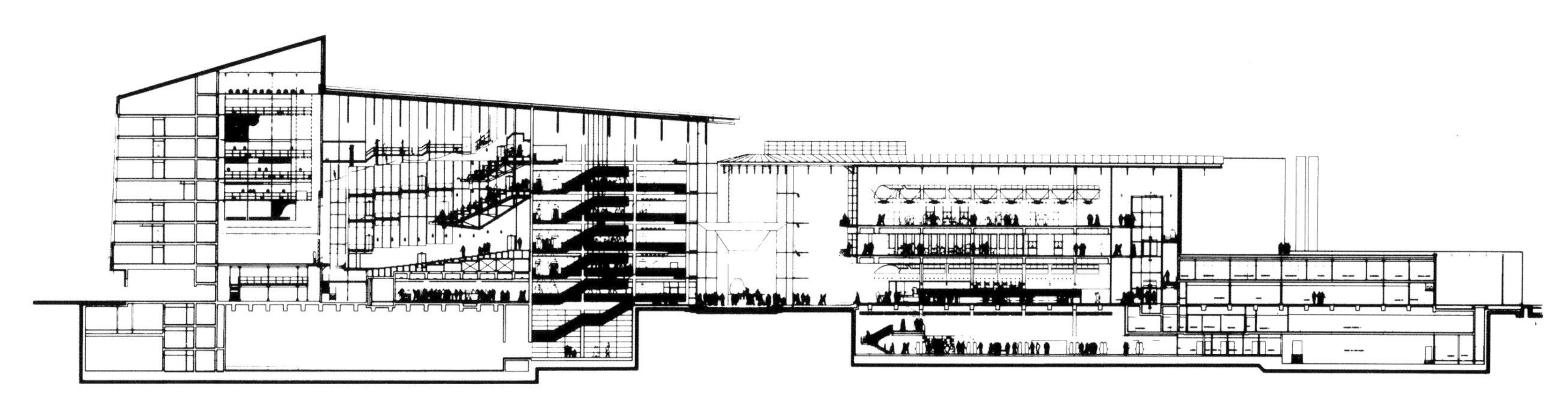

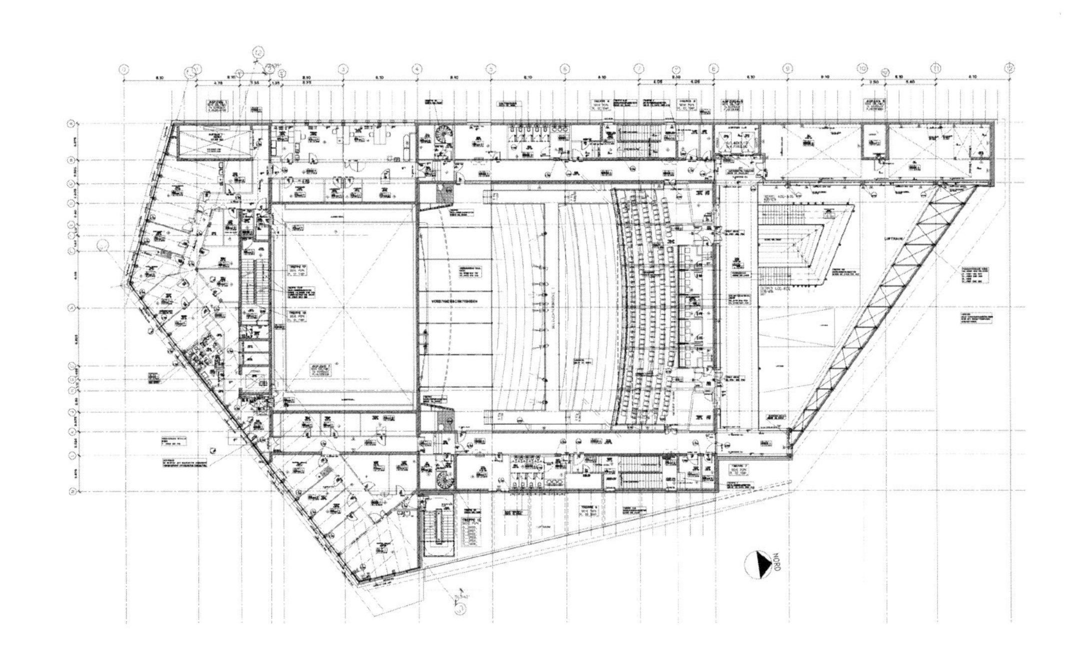
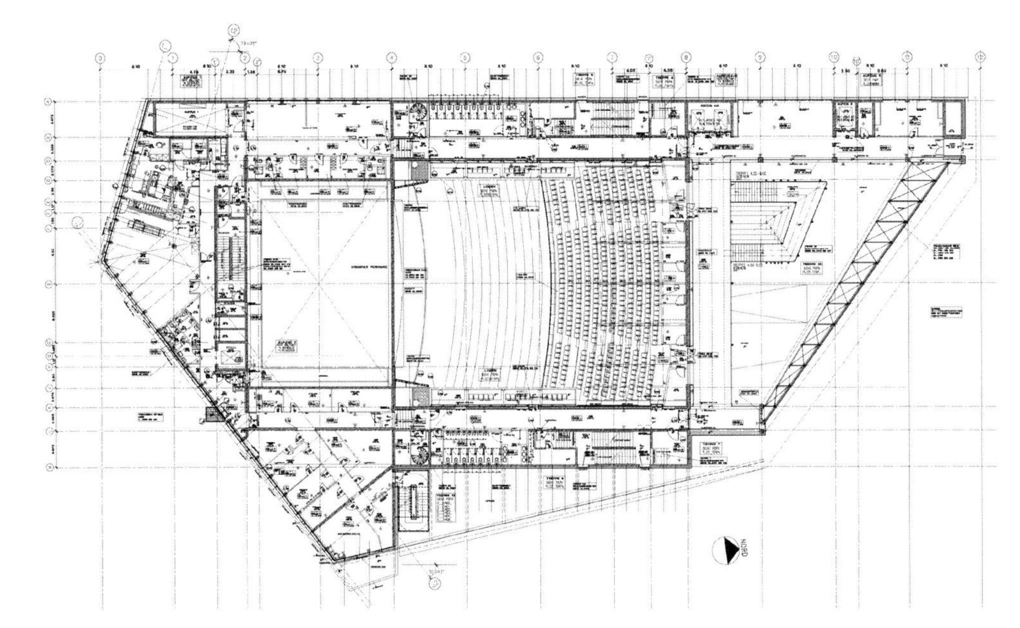
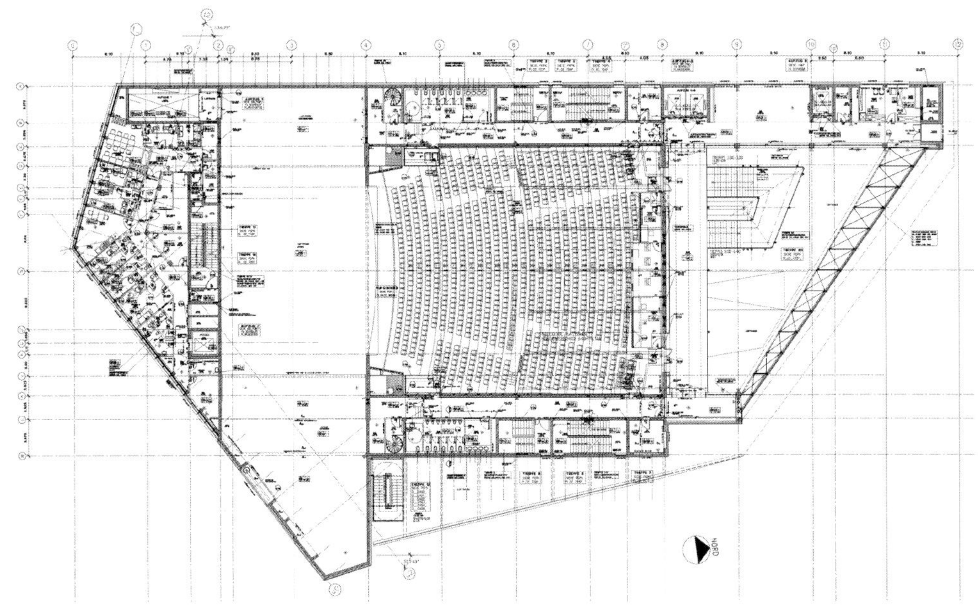

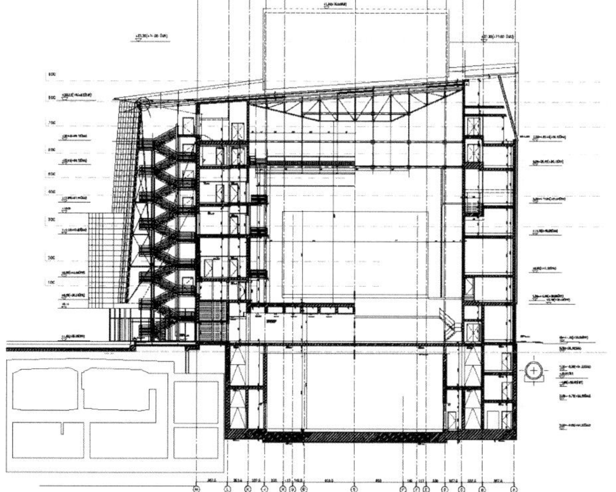

La sala può assumere diverse configurazioni a seconda delle esigenze: rappresentazioni teatrali, concerti, proiezioni cinematografiche.

The hall can be configurated for various events: theatre, concerts and film screenings.

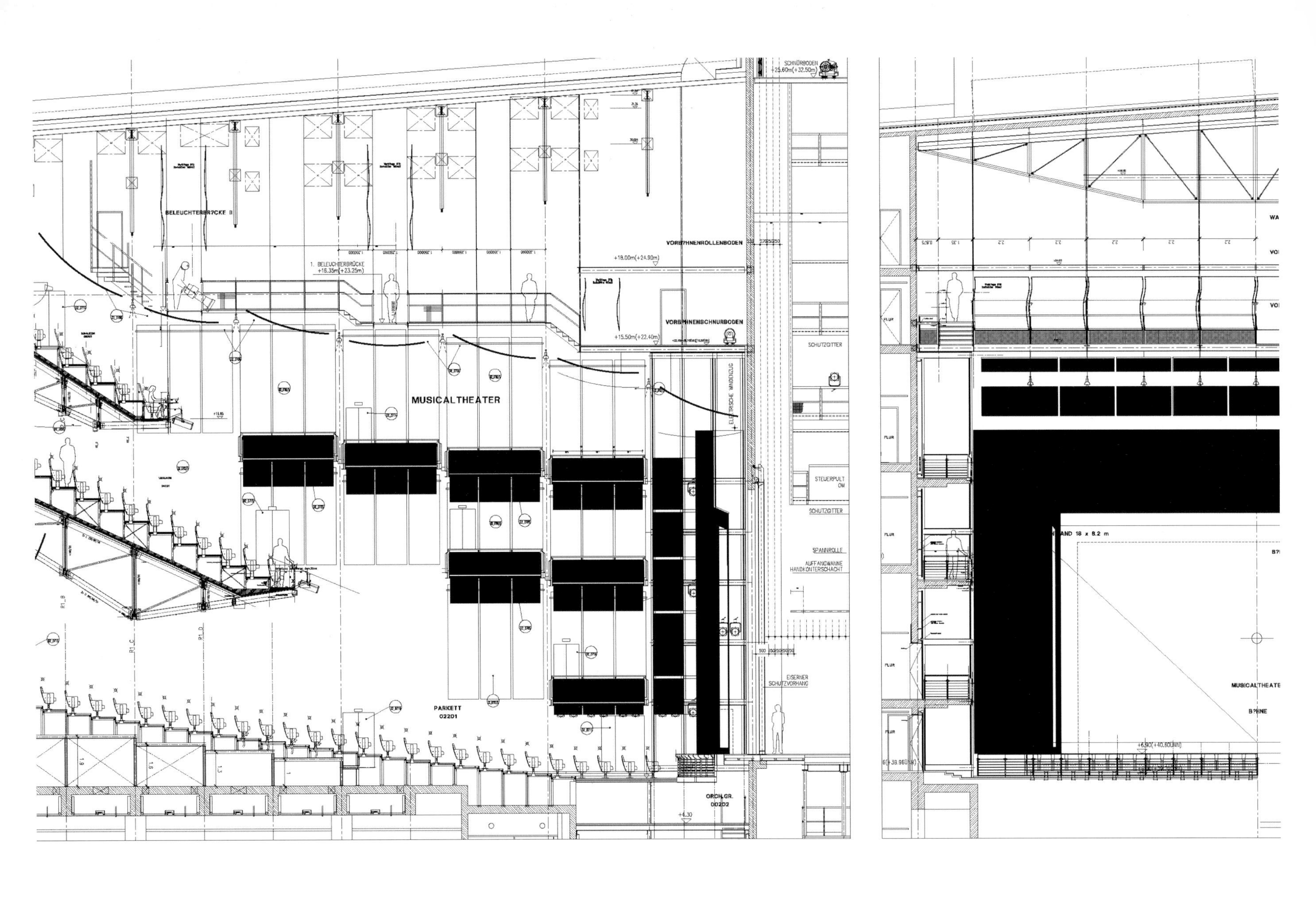

I pannelli acustici e il pavimento della scena sono in frassino tinto di rosso.

The acoustic panels and the stage floor are made of red-dyed ash wood.

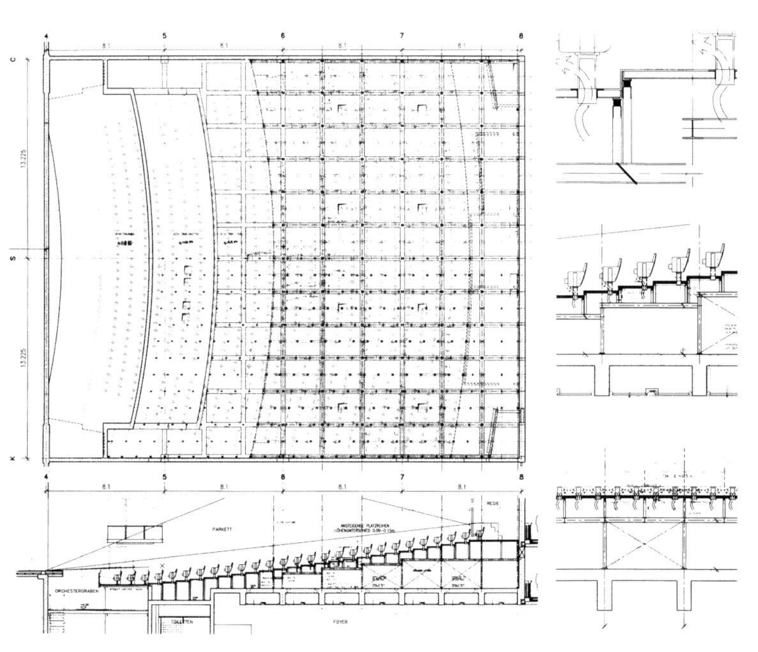

AUSSTELLUNG
DER GLÖCKNER KOMMT
Information

1991-1998

Centro Culturale Jean-Marie Tjibaou

Nouméa, Nuova Caledonia

1991-1998

Jean-Marie Tjibaou Cultural Centre

Nouméa, New Caledonia

Su richiesta della Nuova-Caledonia, la Francia ha finanziato a Noumea la costruzione di un centro destinato alla cultura kanak, in memoria del leader Jean-Marie Tjibaou, assassinato nel 1989.
L'obiettivo del progetto era di rendere omaggio ad una cultura, alla sua sensibilità, alle sue tradizioni, rispettandone i codici e l'evoluzione. Lo scopo non era quindi di costruire un villaggio-campione, una vetrina stereotipata, ma di rappresentare una cultura, i suoi simboli millenari, ancora vivi.
La struttura architettonica e sociale delle "capanne" caledoniane è stata ripresa e adattata. In seno ad un parco naturale in riva all'acqua, le dieci "capanne" del progetto, di un'altezza che varia tra i 20 e i 28 metri e collegate fra loro da un itinerario pedonale, hanno delle funzioni e delle tematiche diverse. Una parte è adibita a mostre temporanee o permanenti. Un'altra ospita l'amministrazione, la ricerca, una sala-conferenze e una biblioteca.
La musica, che funge da quadro alle attività creative tradizionali, occupa l'ultima parte, ed è onnipresente nei principali spazi del centro e lungo il percorso che collega le "capanne".
L'auditorium acquista un valore particolare accogliendo uno dei vettori della cultura kanak e del Pacifico. Qui hanno luogo concerti e spettacoli di danze tradizionali.
L'insonorizzazione di quest'auditorium è stata facilitata dall'assenza d'inquinamento acustico esterno: il complesso si trova, infatti, in un parco, in riva ad una laguna. Per completarlo e guadagnare uno spazio che il volume iniziale delle "capanne" non offriva, la sala semi-interrata ha una pendenza abbastanza ripida, che permette l'installazione di 400 posti, accessibili dai corridoi laterali, e, in quest'ottica di economia dello spazio, il corridoio centrale è stato eliminato.
La musica costituisce dunque un elemento fondamentale dell'architettura. La struttura d'iroko delle "capanne", la loro "doppia pelle" formata da infinite lamelle di legno, costituisce già di per sé uno strumento musicale, che gli alisei, i venti dominanti del luogo, fanno vibrare, producendo dei suoni simili ad un canto lontano.

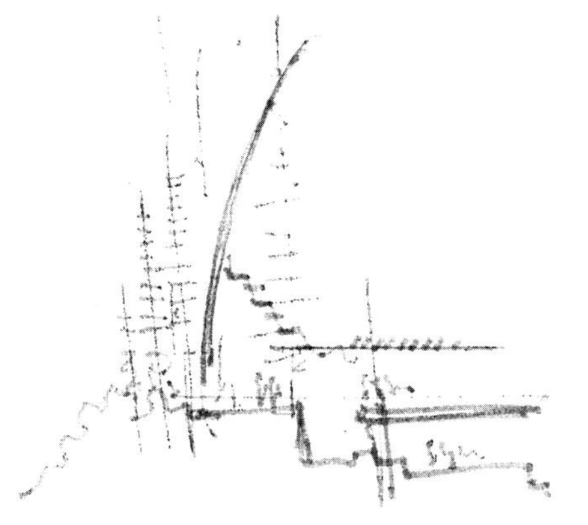

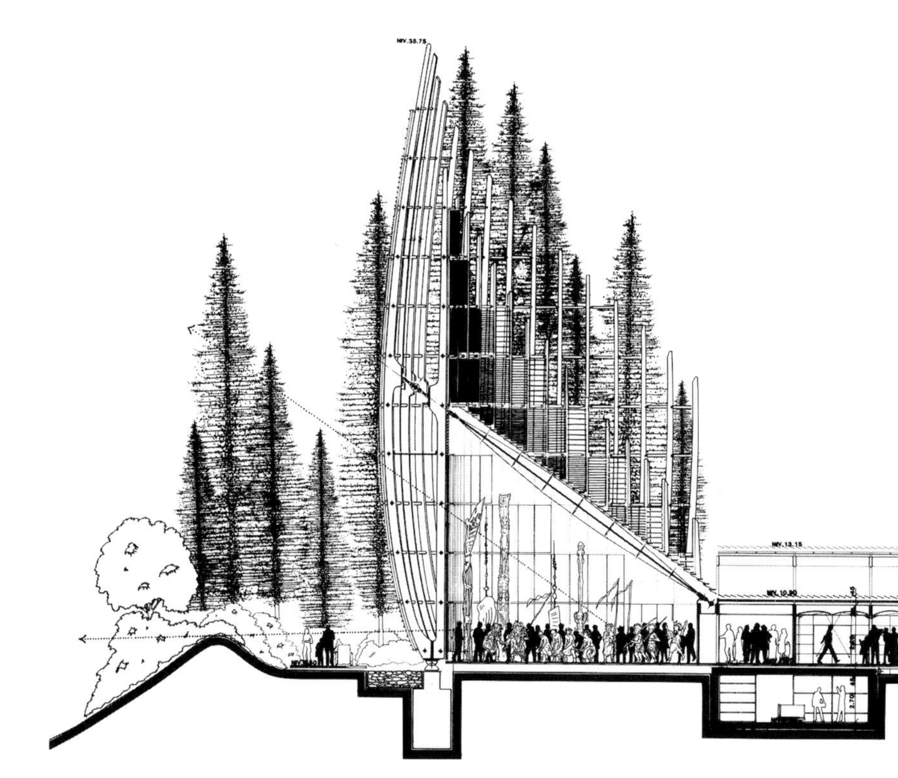

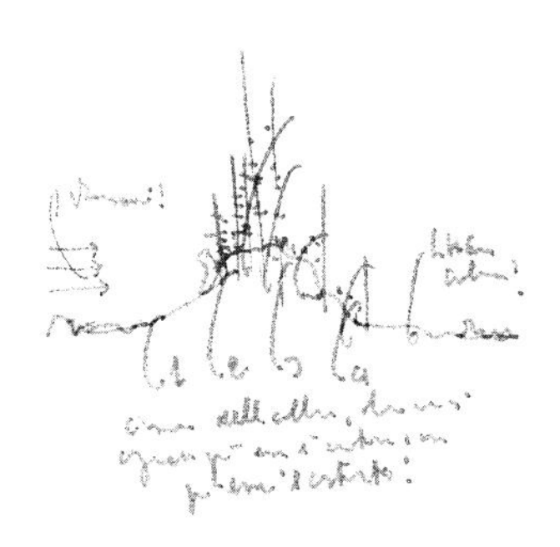

At the request of New Caledonia, France financed the construction in Nouméa of a centre dedicated to Kanak culture, in memory of the Kanak leader Jean-Marie Tjibaou, assassinated in 1989.
The task of the project was to pay homage to a culture, to its sensitivity, to its traditions, while taking into account its rules and its evolution. The aim was to represent a culture with its age-old symbols, still alive, and above all, not to create a fixed showcase.
The architectural and social structure of the traditional Kanak "huts" was reproduced and adapted. The ten "huts" of the project, from 20 to 28 metres high, linked by a pedestrian route in the heart of a natural park surrounded by the sea, have various functions and themes.
One part houses temporary and permanent exhibitions. A second series of "huts" contains the administration, research, a conference room and a library.
Omnipresent in the main spaces of the centre and along the route linking the "huts", music finds its home in the last part, a place for traditional creative activities. The auditorium is particularly important in hosting events of Kanak and Pacific culture. Concerts and traditional dance shows are held here.
The sound insulation of this auditorium was made easier by the absence of external noise, given its situation in a park surrounded by sea. This partly underground auditorium provides a space that the volume of the "huts" could not provide initially. It has 400 seats on a fairly steep incline, accessed by lateral corridors. The absence of a central aisle permitted a considerable space saving.
Music is a fundamental element of the architecture. The iroko timber structure of the "huts", their "double skin" formed by a multitude of timber slats, constitutes a musical instrument in itself. The action of the dominant alizé winds of the site produces the sounds of a distant song.

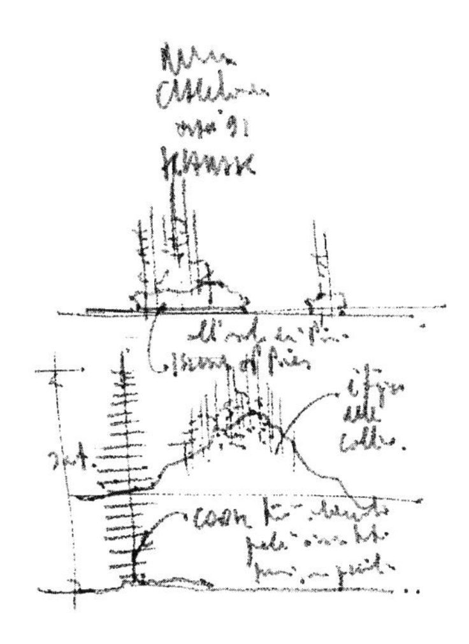

Il Centro oltre ad ospitare mostre sulla cultura kanak, diventa anche luogo per spettacoli all'aperto.

The Centre, that already hosts exhibitions related to kanak culture, also becomes a place for open-air events and shows.

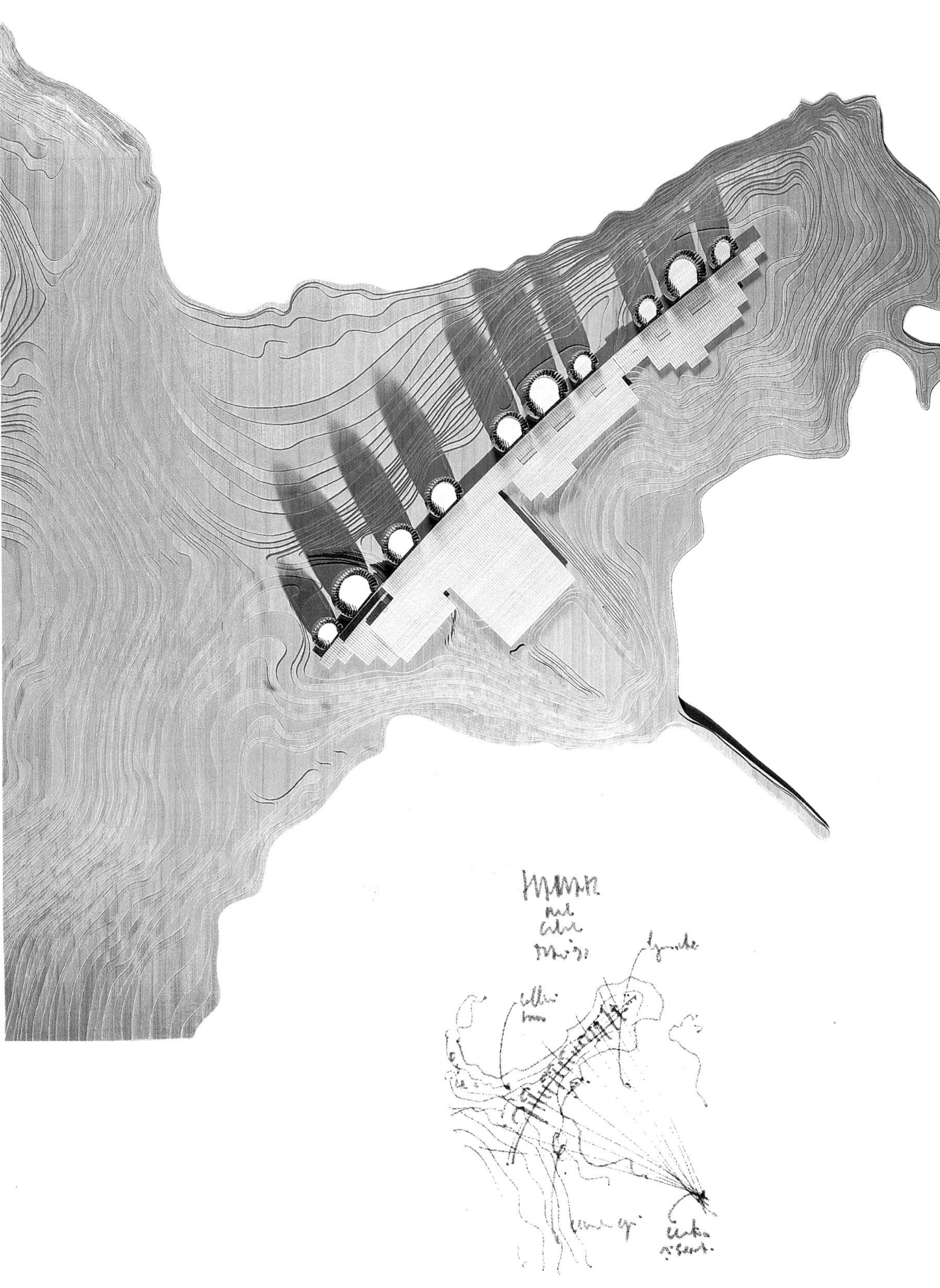

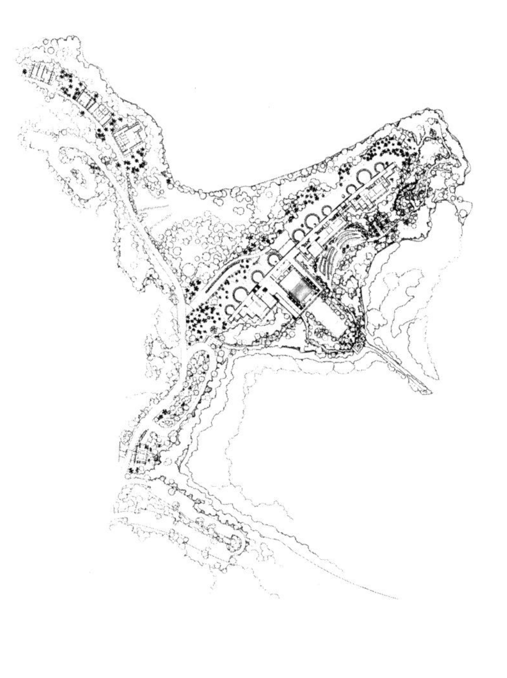

Il sito del Centro Culturale: una piccola penisola in un parco naturale. Le dieci "capanne sono di fronte alla laguna, dietro di loro la Baia di Magenta.

Site of the Cultural Centre: a small peninsula in a natural reserve. The ten huts face a lagoon, with the Bay of Magenta behind them.

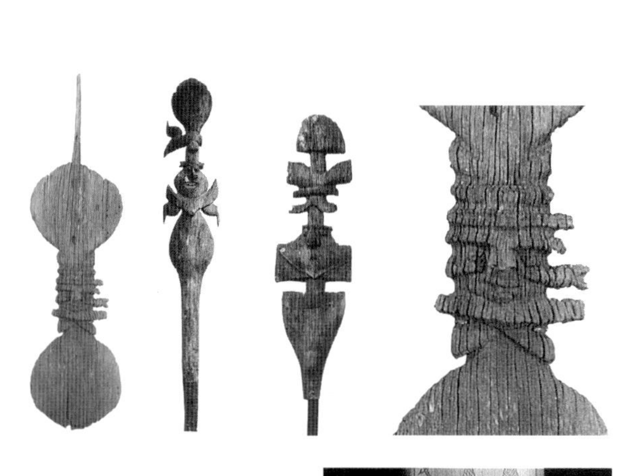

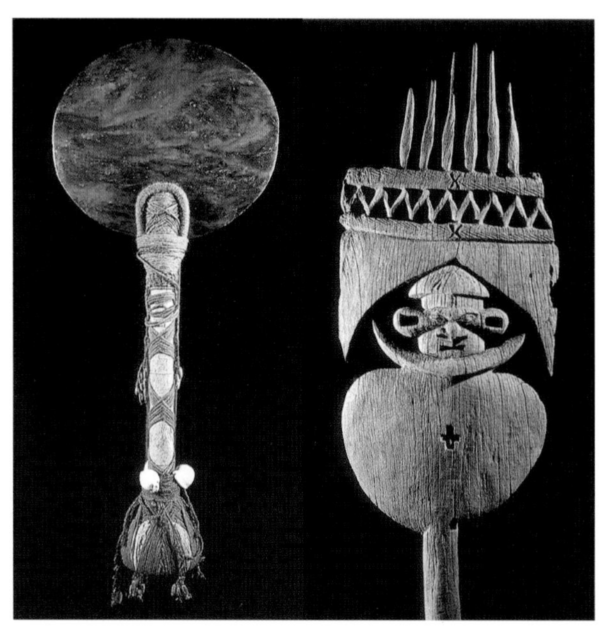

Jean-Marie Tjibaou, leader kanak, assassinato nel 1989, a cui è stato intitolato il Centro.

The Centre is named after Jean-Marie Tjibaou, leader kanak, assassinated in 1989.

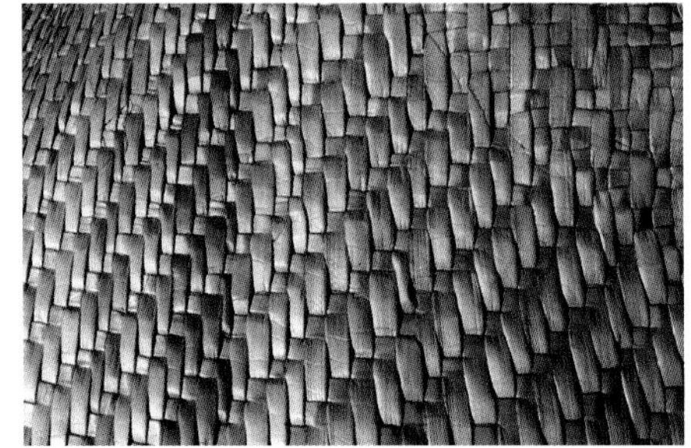

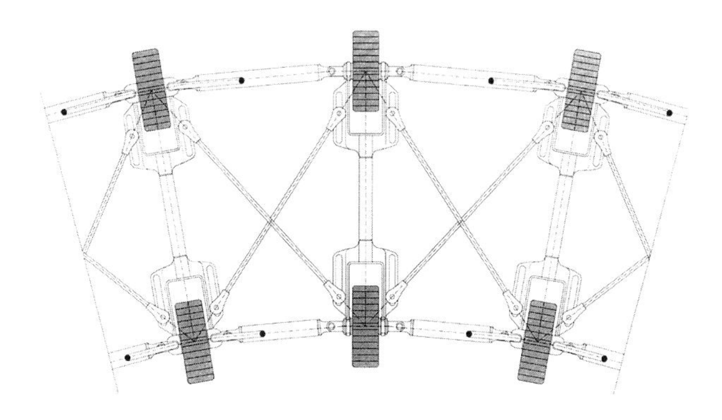

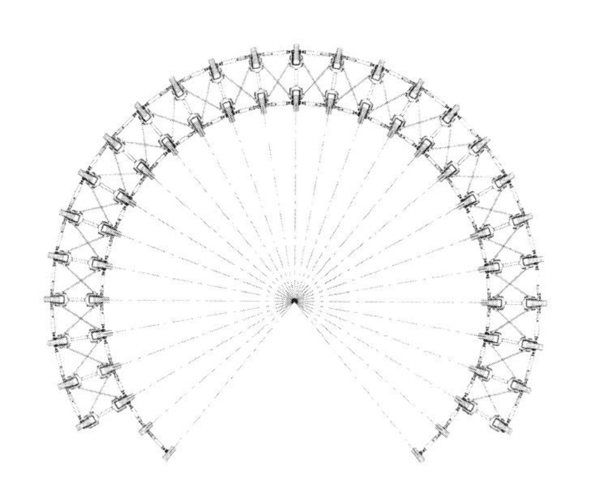

La struttura delle “capanne”: le costole sono collegate da un sistema di puntoni e tiranti.

The “huts” structure: the ribs are linked by a system of struts and tie-beams.

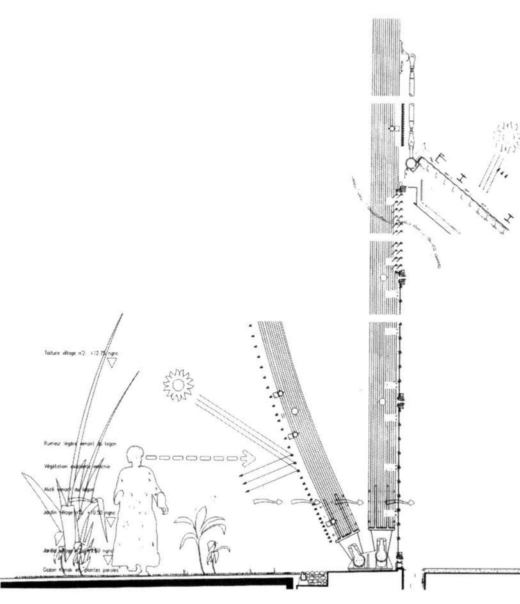

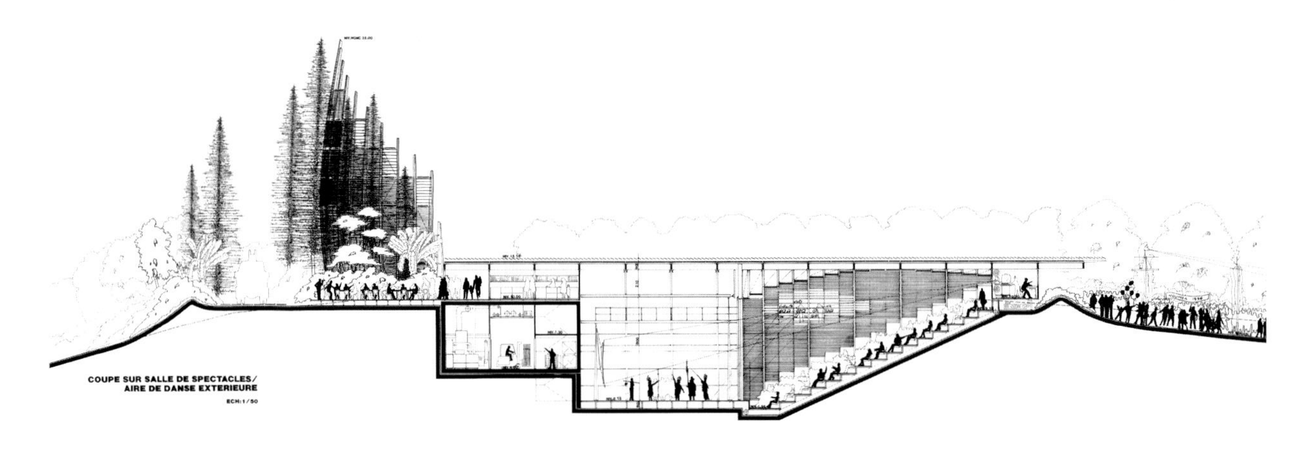

L'auditorium parzialmente interrato.

The partly underground auditorium.

1983-1984

Spazio musicale per l'opera Prometeo

Venezia e Milano, Italia

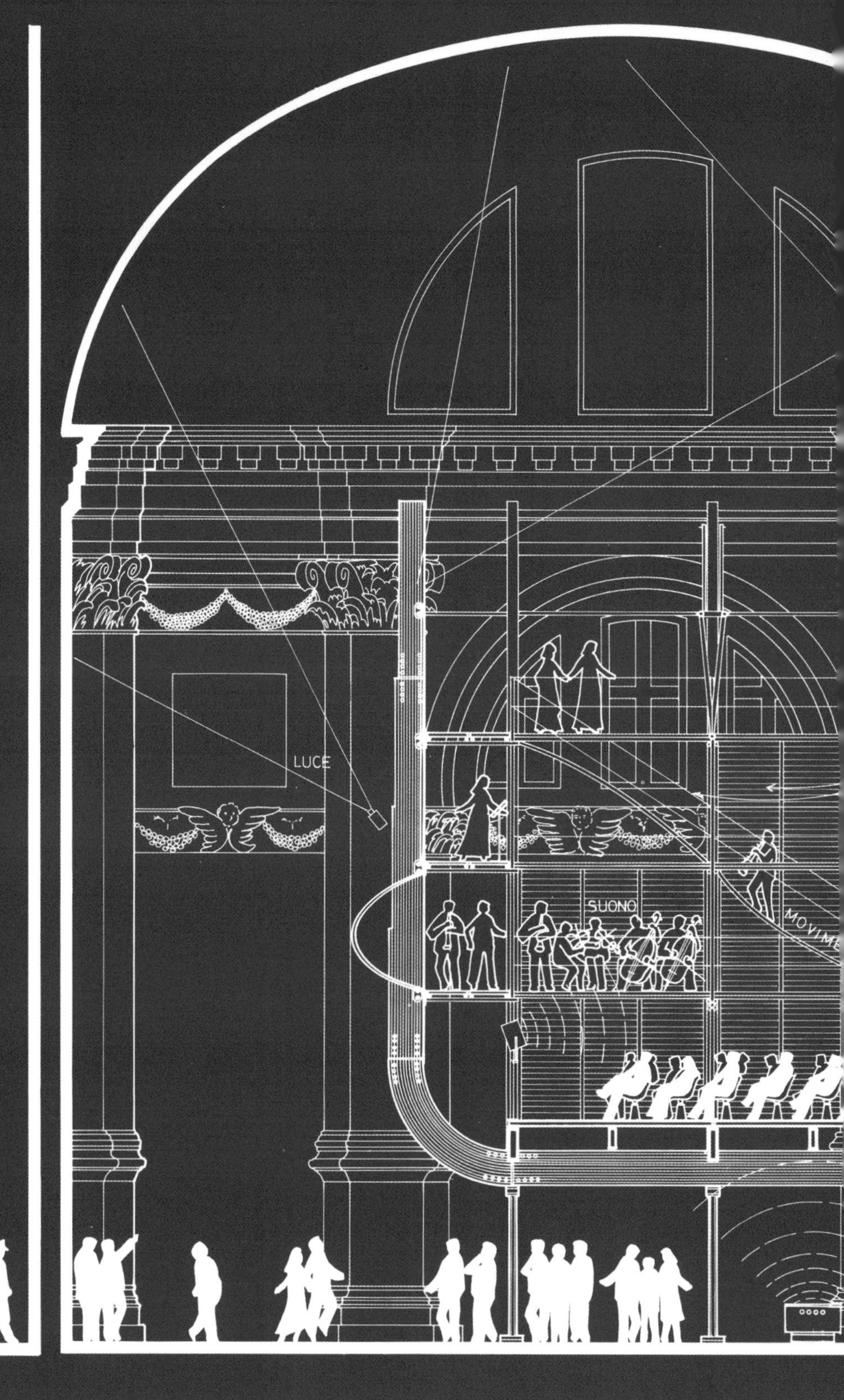

1983-1984

Musical space for the opera Prometeo

Venice and Milan, Italy

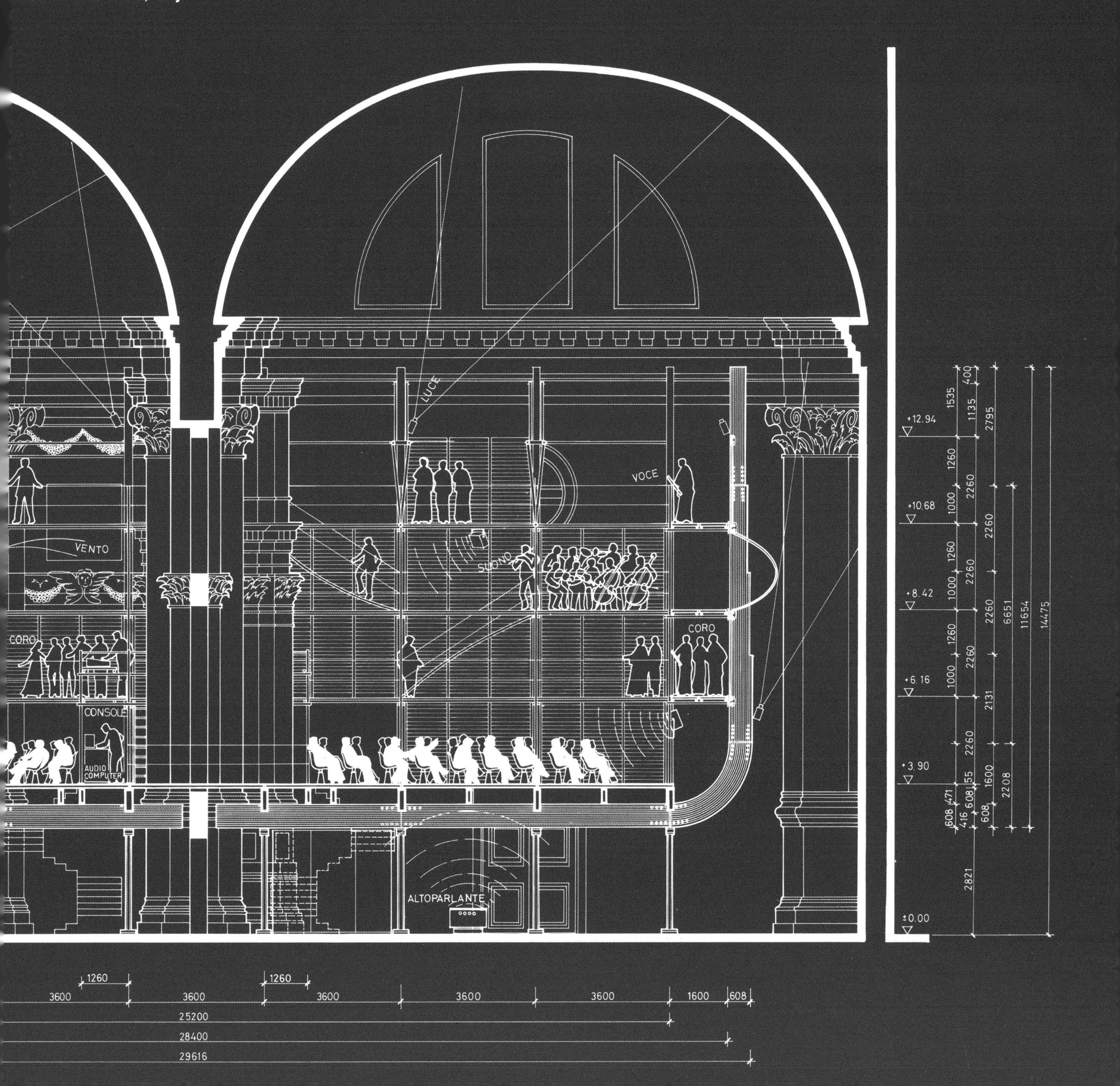

La peculiarità dell'opera di Luigi Nono, "Prometeo, o la Tragedia dell'ascolto", è la stretta coesione tra architettura e musica contemporanea.
L'obiettivo del progetto era la realizzazione, esclusivamente per questa opera, di uno spazio musicale che capovolgesse il concetto e l'organizzazione di una sala tradizionale.
Gli spettatori, circondati a varie altezze dai musicisti, sono sistemati al centro della struttura. Lo scopo era di creare una interazione naturale tra lo spazio e la musica (l'uno esistendo grazie all'altra), in modo tale che questa interazione si producesse in punti sempre diversi dell'impianto. Un'altra particolarità importante di questa struttura di 400 posti è di essere smontabile: è stata allestita sia in una chiesa, San Lorenzo a Venezia, che a Milano, in una fabbrica della Ansaldo in disuso.
Si trattava dunque non solo di creare una scena e una sala, ma anche una scenografia e una cassa di risonanza. Come materiale di base si è utilizzato il legno, scelto per le sue proprietà acustiche. Viste le dimensioni della struttura, si sono adottate alcune tecniche della costruzione navale, come per esempio la tecnica del legno lamellare.
Questo progetto doveva anche tener conto, oltre le numerose esigenze acustiche, di un certo numero di imperativi logistici: durante lo spettacolo, gli 80 membri del coro e dell'orchestra dovevano potersi spostare nelle tre gallerie superiori della struttura, lungo la rete di passerelle e di scale; seguivano il direttore d'orchestra grazie a un sistema di direzione multipla, realizzato con degli schermi video.
Questo spazio è nato con l'opera, e per l'opera: fa parte del processo creativo artistico, diventando anch'esso uno strumento al servizio della musica.

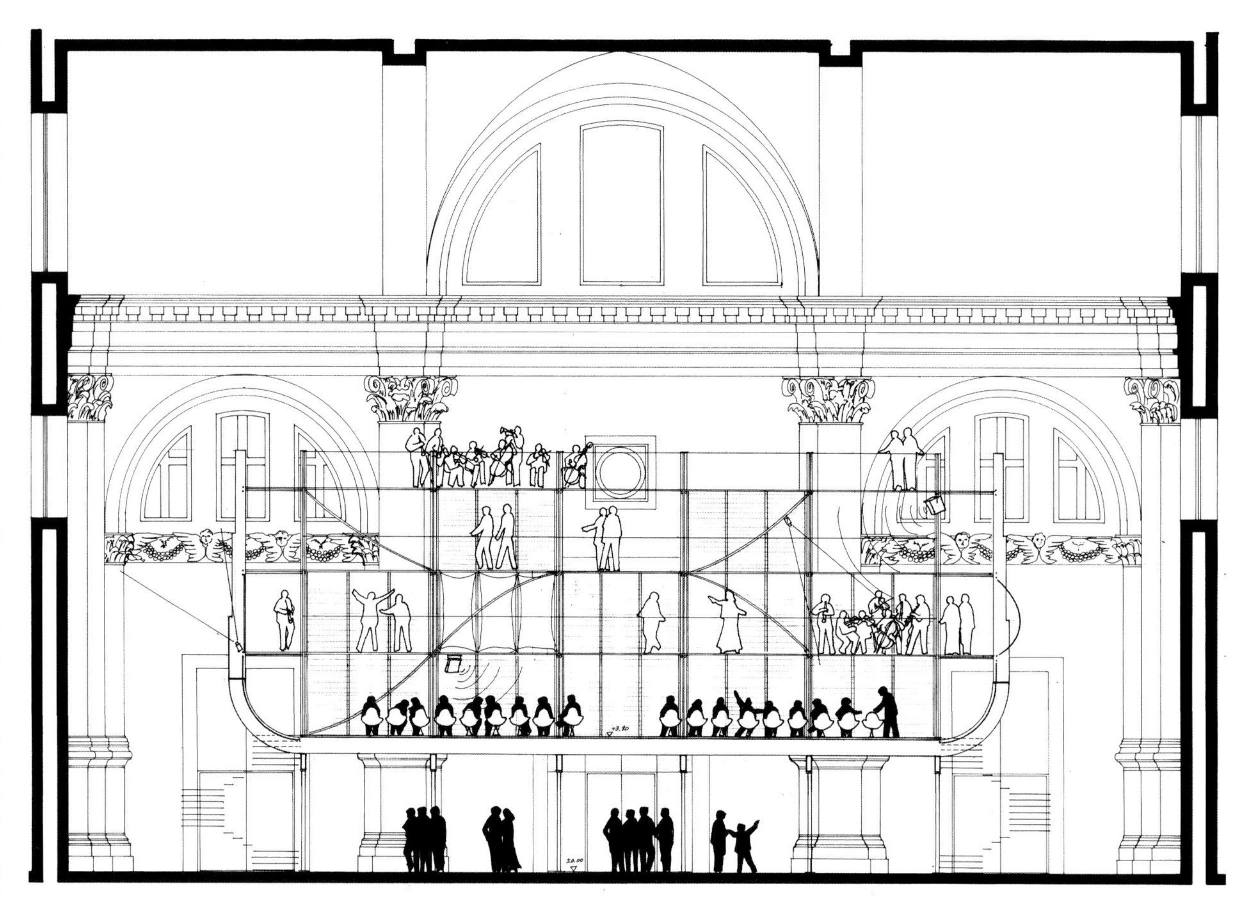

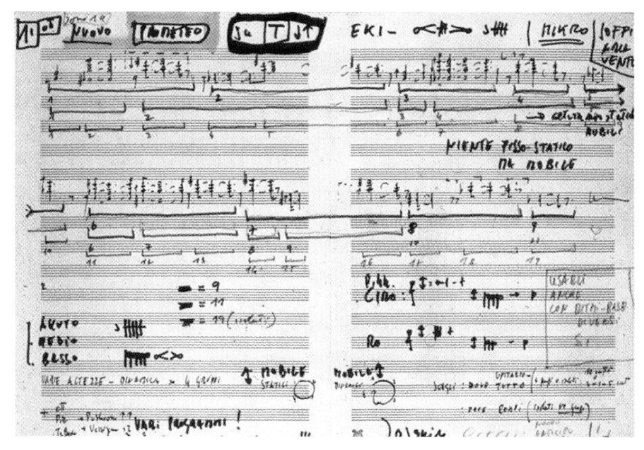

Composed by Luigi Nono, "Prometeo" is an opera that intimately associates architecture and contemporary music.
The aim of the project was to create, exclusively for this opera, a space for music reinventing the concept and organisation of a traditional opera house.
The audience is seated at the centre of a structure, with the musicians surrounding them at various heights. The idea was to create a natural interaction, at different points of the structure, between the space and the music, one existing by virtue of the other.
Another aspect of this 400 seat structure is its modularity: it was erected in the church of San Lorenzo, in Venice, as well as in the disused Ansaldo factory in Milan. The task was not only to create a stage and a seating area, but also a stage-setting and a resonant box.
Chosen for its acoustic properties, wood was the main building material. Certain techniques of naval construction were adopted, in particular that of laminated timber, given the sheer size of the project.

La struttura dello spazio scenico è modulare e ricomponibile, dalla chiesa di San Lorenzo a Venezia alla fabbrica dismessa dell'Ansaldo a Milano.

The opera structure is modular and can be reassembled, from the San Lorenzo church in Venice to the disused Ansaldo factory in Milan.

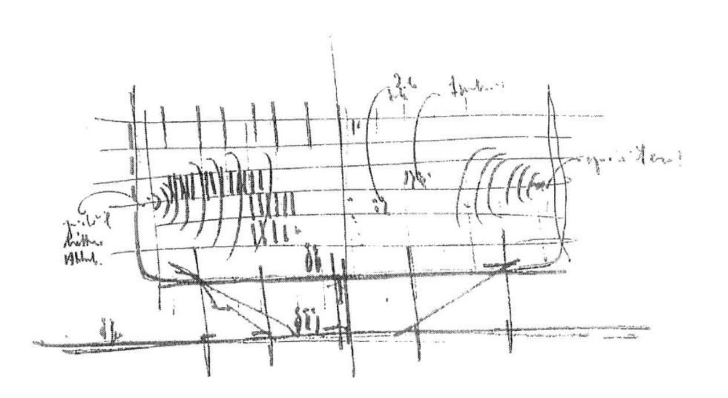

Technically speaking, this project comported, apart from acoustics constraints, a certain number of organisational imperatives.
The 80 members of the choir and orchestra had to move through the three upper galleries of the structure throughout the performance, on a network of walkways and stairs, following the conductor by means of screens.
This space was born with the opera, and for the opera. It was a part of the creative process, and became itself one of the musical instruments.

Fotografie di Gianni Berengo Gardin.

Photographs by Gianni Berengo Gardin.

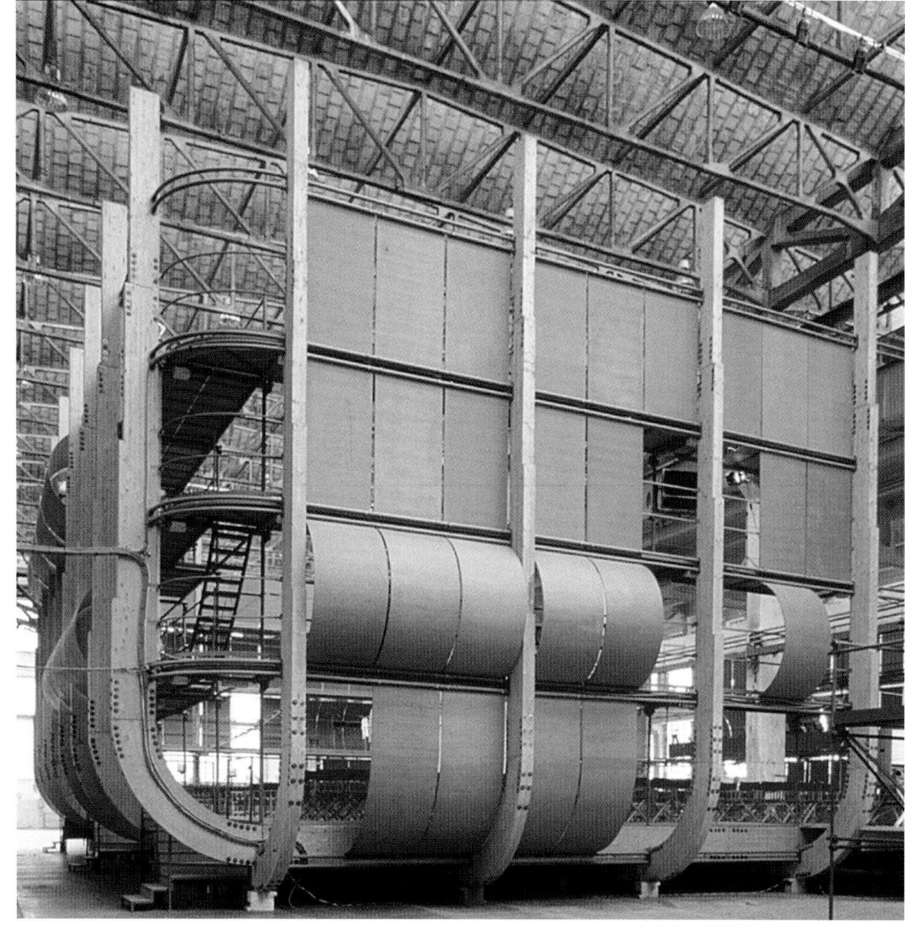

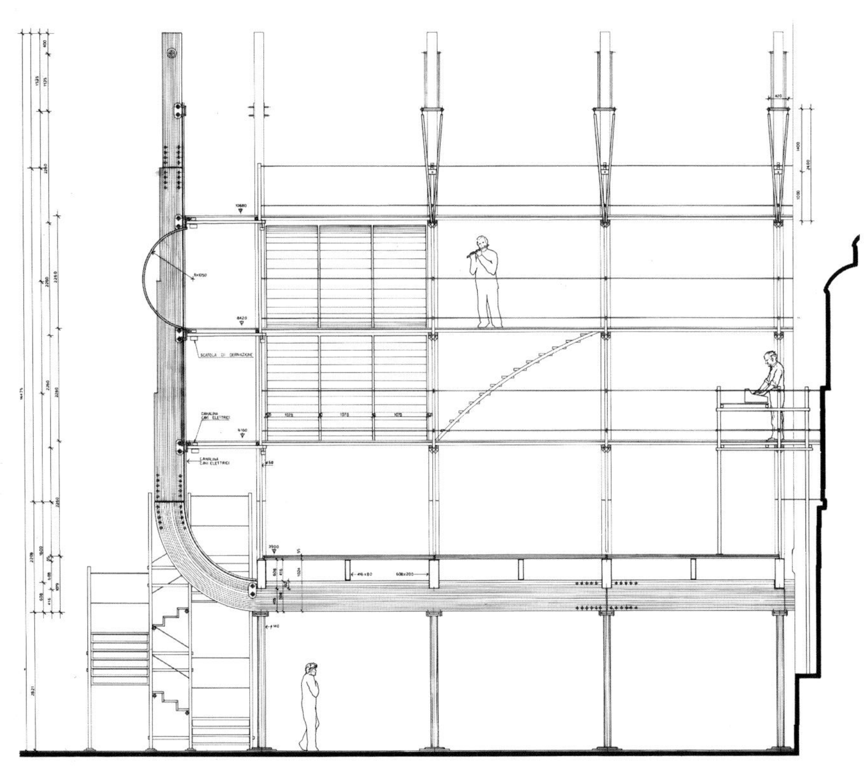

10680
R=1050
8420
SCATOLA DI DERIVAZIONE
CANALINA
CAVI ELETTRICI
4160
CANALINA
CAVI ELETTRICI
1078
450
3900

VIETATO
FUMARE

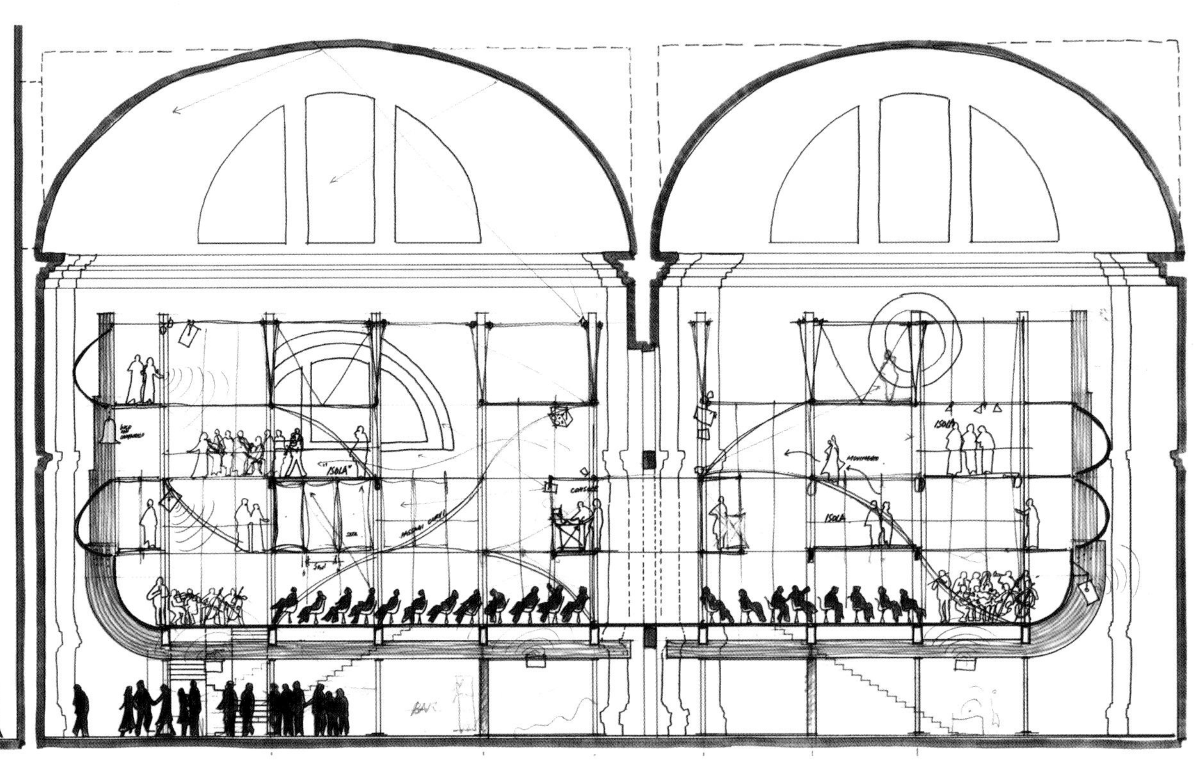
PARETE:
- LEGNO VARTICALE
- LEGNO CURVO
- SETA
- BUCO VUOTO
- FOGLIO DI ACCIAIO ALLUMINIUM RAME etc.
- BUCO CON CAMPANELLO etc
- BUCO CON ALTOPALANTE.

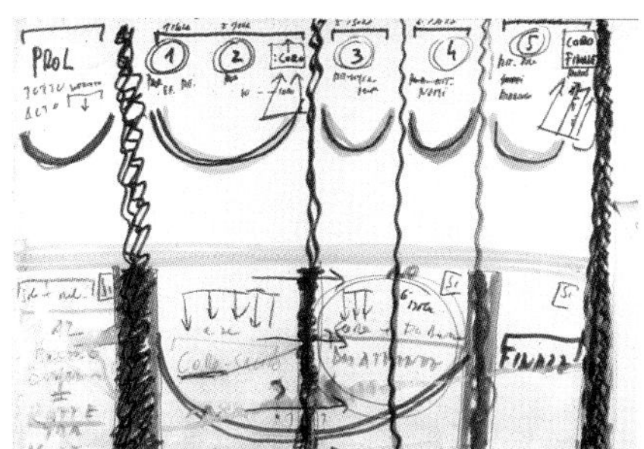
PROL

A
PROMETEO
BASE

Da sinistra: Luigi Nono, Massimo Cacciari, Renzo Piano.

From left: Luigi Nono, Massimo Cacciari, Renzo Piano.

L'allestimento del Prometeo a Venezia. Il direttore d'orchestra dirige i musicisti attraverso degli schermi video.

The setting of Prometeo in Venice. The musicians follow the conductor by looking at monitor screens.

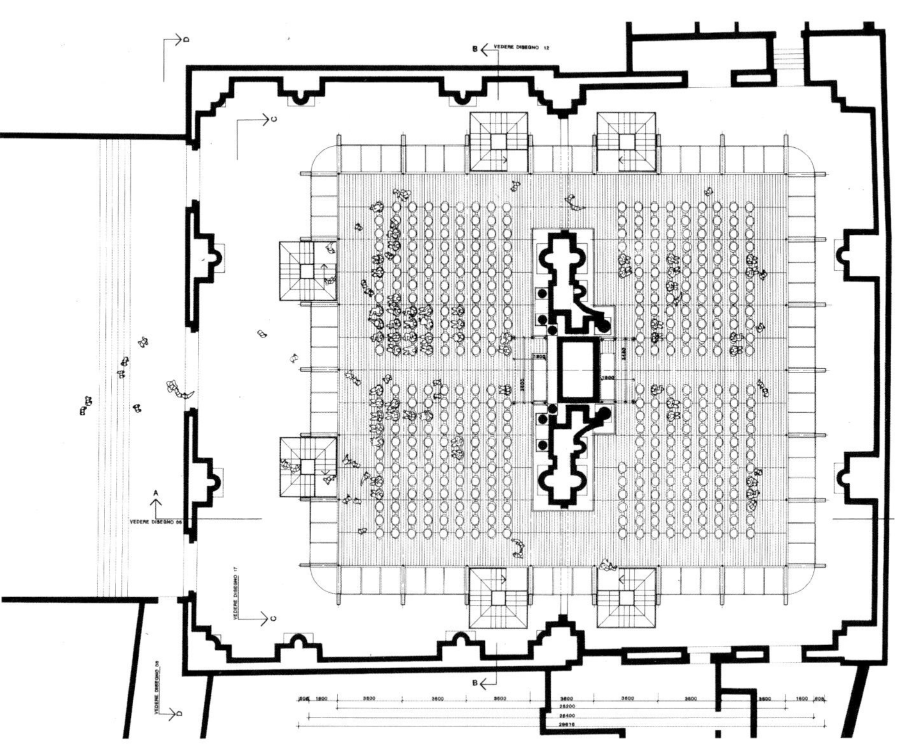

1983-1995

Auditorium del Lingotto

Torino, Italia

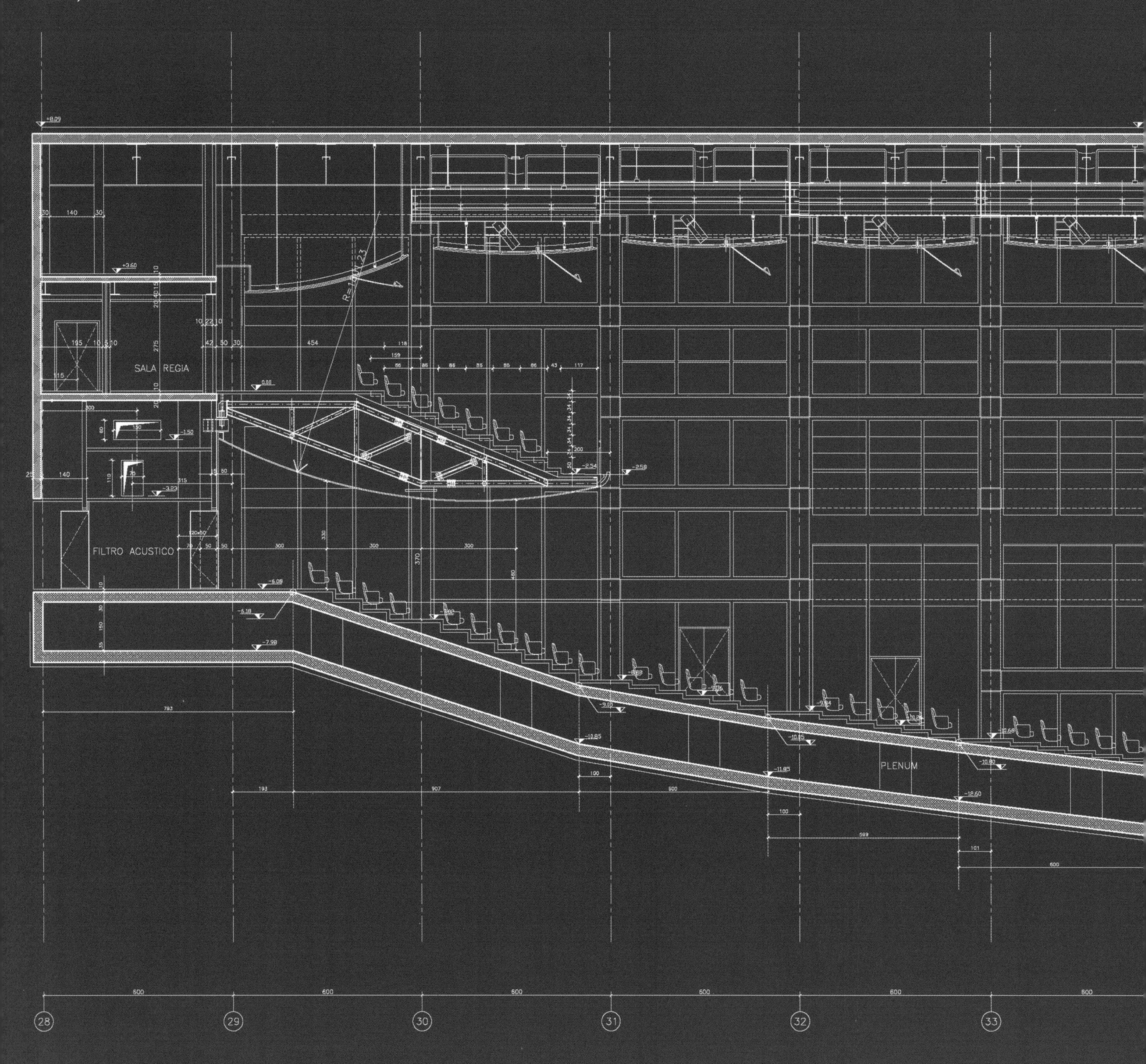

1983-1995

Lingotto Auditorium

Turin, Italy

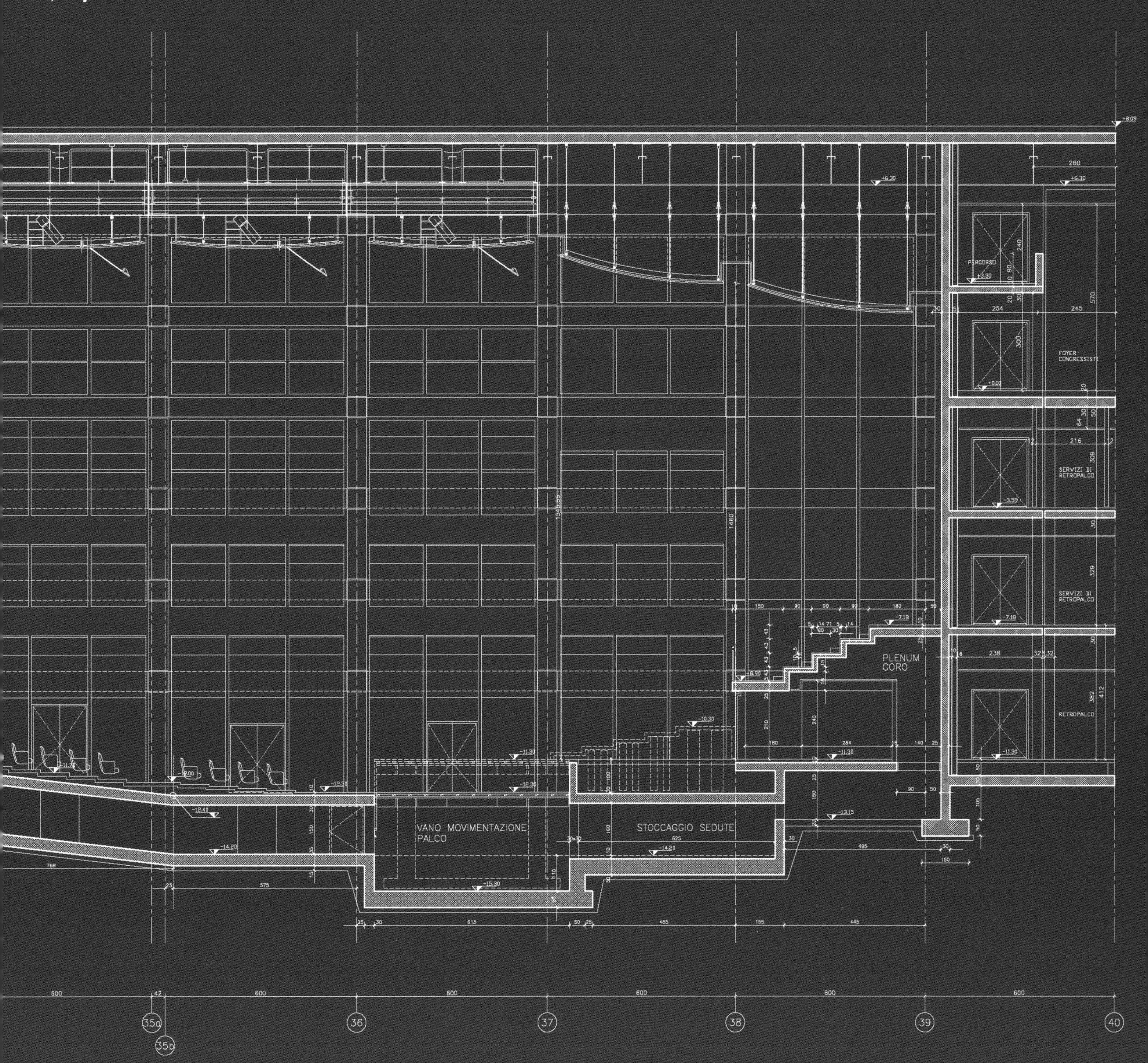

Quando fu costruito negli anni Venti, il Lingotto, il quartiere generale della Fiat, era la più grande e la più moderna fabbrica d'Europa.
Questo complesso industriale, un volume di un milione di metri cubi, lungo 500 metri e alto 5 piani, fu il primo esempio, a cosÏ ampia scala, di costruzione modulare in cemento armato, scandita dalla ripetizione di tre elementi principali: i pilastri, le travi e i solai.
Rappresentava un tale simbolo per Torino che, quando fu messo in disuso nel 1983, si sentì il bisogno di dargli un nuovo respiro. Il progetto si propose di trasformare, senza tradirne lo spirito e mantenendone il carattere architettonico e monumentale, l'uso e la funzione industriale dell'insieme. Un complesso multifunzionale (tra cui una facoltà, uno spazio per esposizioni e mostre, dei negozi, un cinema, due hotel e gli uffici della Fiat) ha trovato posto negli ex spazi della fabbrica.
Inoltre, la realizzazione di un auditorium di 2000 posti ha lasciato un ampio spazio alla musica: oltre a spettacoli di vario genere (musica da camera, concerti sinfonici...), questa sala ospita anche conferenze, congressi, ecc.
Una delle priorità è stata di assicurarne l'insonorizzazione completa: collocata sotto uno dei quattro cortili della vecchia fabbrica, la nuova struttura, un volume semplice come un parallelepipedo, (detto anche "shoe box", scatola di scarpe) è stata integrata, in modo completamente indipendente, in una struttura preesistente e ingabbiata da travi di cemento, isolate da una serie di cuscini di gomma.
All'interno della sala, la variabilità acustica è ottenuta grazie a un soffitto composto di panelli in legno che può muoversi, cambiando il volume della sala, e di conseguenza il tempo di riverberazione della stessa; per adattarsi a ogni manifestazione musicale prevista.

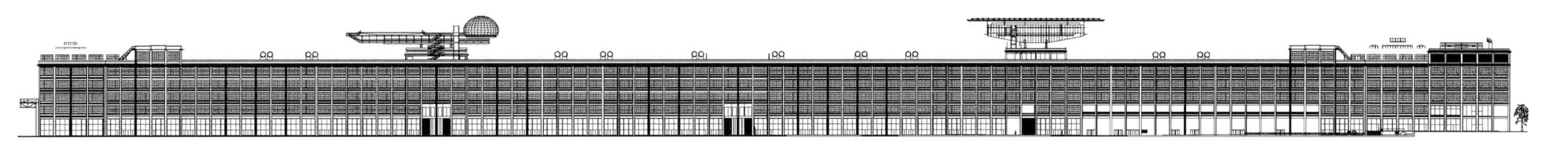

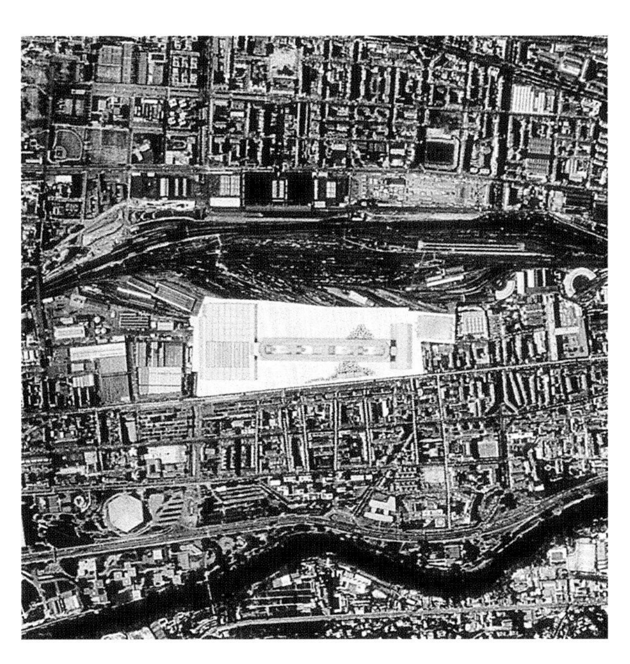

At the time of its construction in the 1920s, the Lingotto, headquarters of FIAT, was the largest and most modern industrial building in Europe.
500 metres long, 5 storeys high, a volume of one million cubic metres, the Lingotto was the first example of reinforced concrete modular construction at such a large scale, based on the repetition of three main elements: pilasters, beams and floor slabs.
Closed down in 1983, it was such a symbol for Turin, that it was important to give it a new lease of life. The project consisted in transforming the industrial nature of the spaces without losing their soul, while safeguarding the architectural and monumental character of the ensemble.
The factory has given place to a complex of activities, including a branch of the university, an exhibition space, shops, a cinema, two hotels and the FIAT offices.
Music finds its place here in a 2000 seat auditorium, used for diverse performances (chamber music, symphony concerts etc.) and also for conferences, congresses, etc.
One of the first tasks was to insure the total soundproofing of the auditorium. Situated beneath one of the four courtyards of the former factory, the new structure (a simple volume, also known as "shoe box") was integrated within the existing structure, in a completely independent way, in a frame formed by concrete beams, isolated by a series of rubber cushions.
Inside the auditorium, the acoustic variability is guaranteed by means of the ceiling, composed of wood panels, which can be moved up or down. In changing their position, the volume of the auditorium changes and therefore the reverberation time can be adapted to suit the type of musical performance being housed.

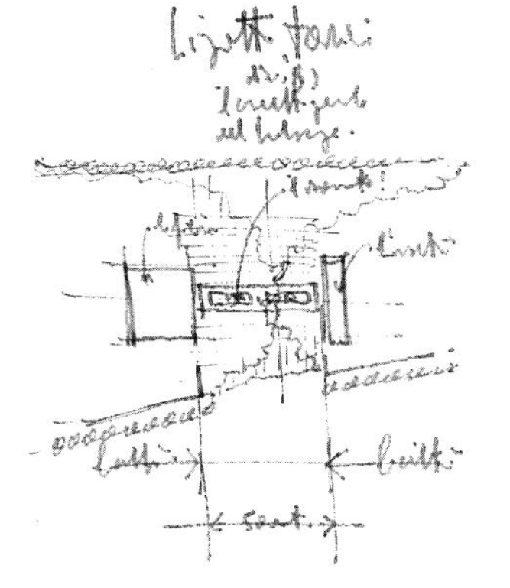

L'auditorium è collocato nello spazio sottostante una delle corti interne trasformata in giardino mediterraneo.

The auditorium is located in a space below one of the internal courtyards, now a Mediterranean garden.

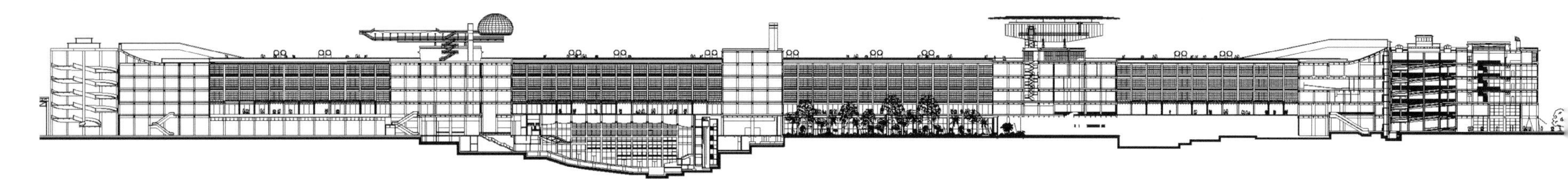

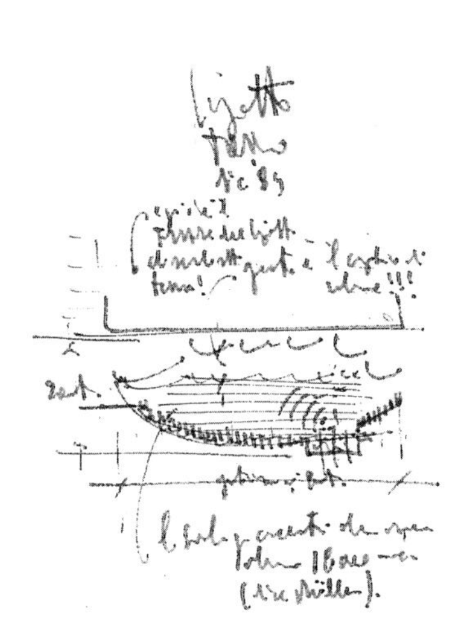

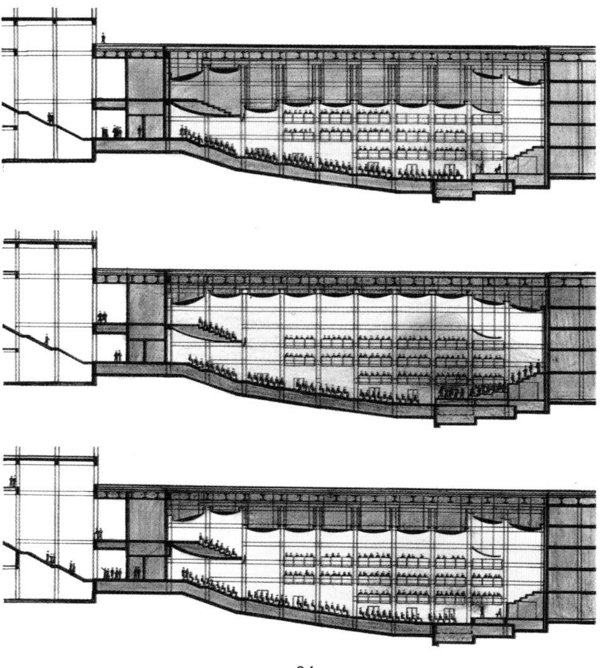

Tre diverse configurazioni dell'auditorium: un sistema automatico modifica in pochi secondi la configurazione della sala relativamente alla capienza, alla dimensione del proscenio e alla qualità acustica.

Three different configurations of the auditorium: seating capacity, stage dimensions and acoustics can be modified within seconds thanks to an automatic system.

Claudio Abbado.

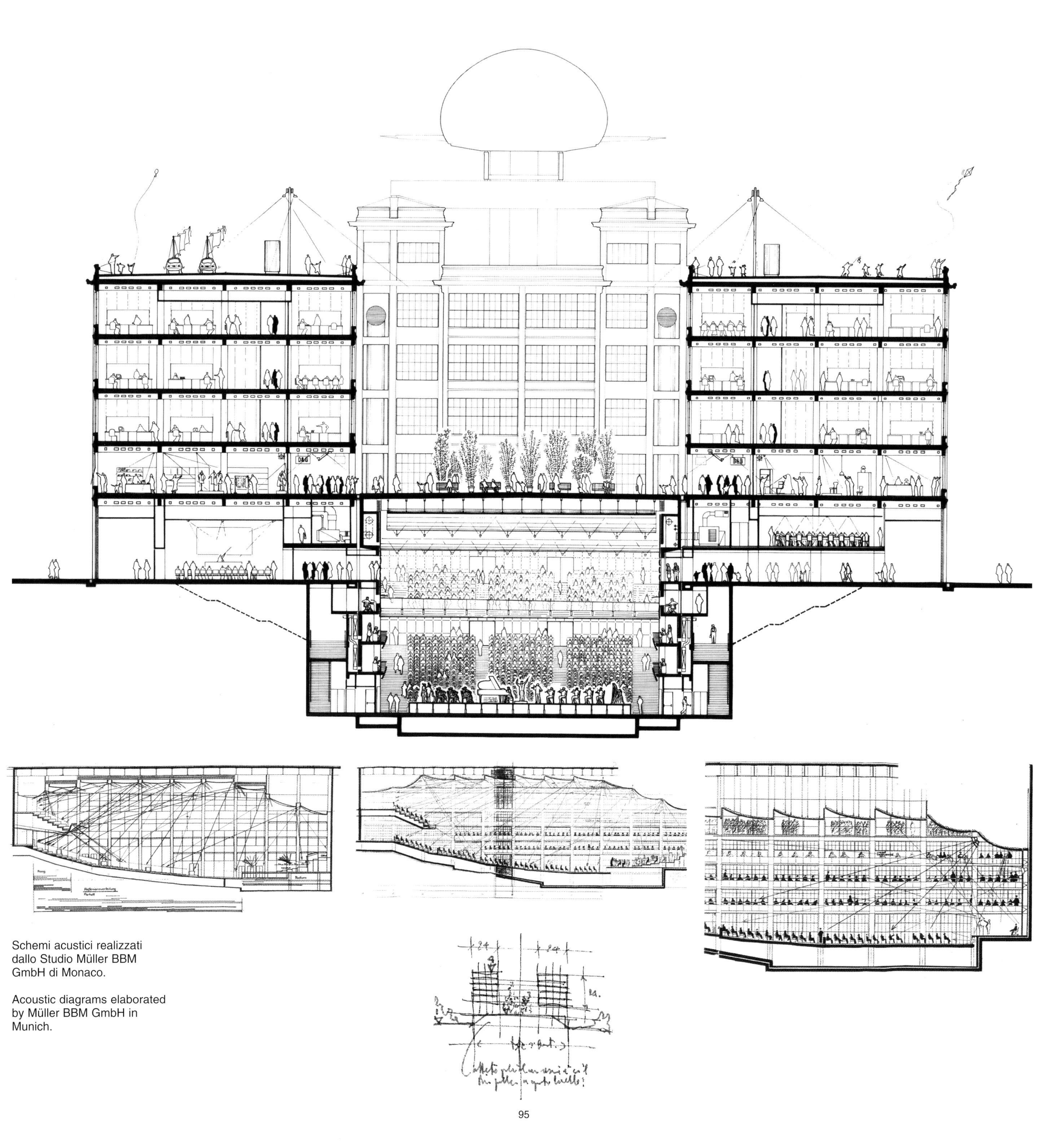

Schemi acustici realizzati dallo Studio Müller BBM GmbH di Monaco.

Acoustic diagrams elaborated by Müller BBM GmbH in Munich.

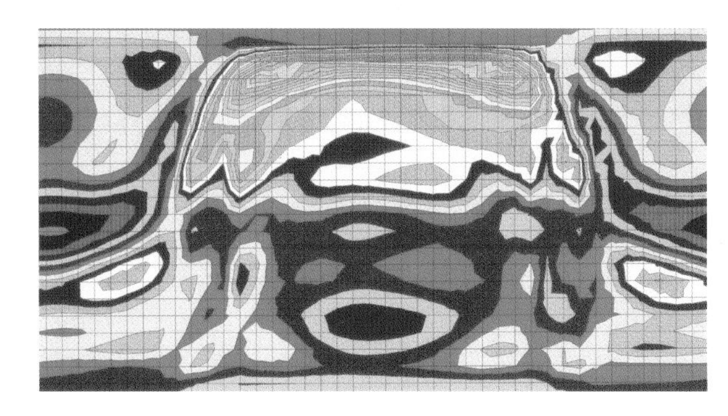

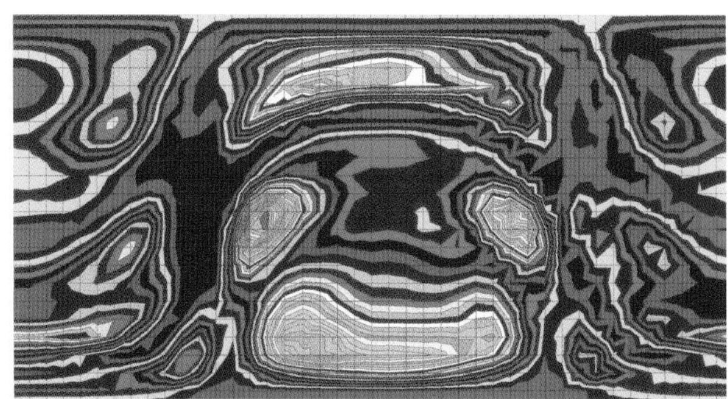

Grafici computerizzati dei flussi acustici nella sala.

Computer diagrams of the flows of sound in the hall.

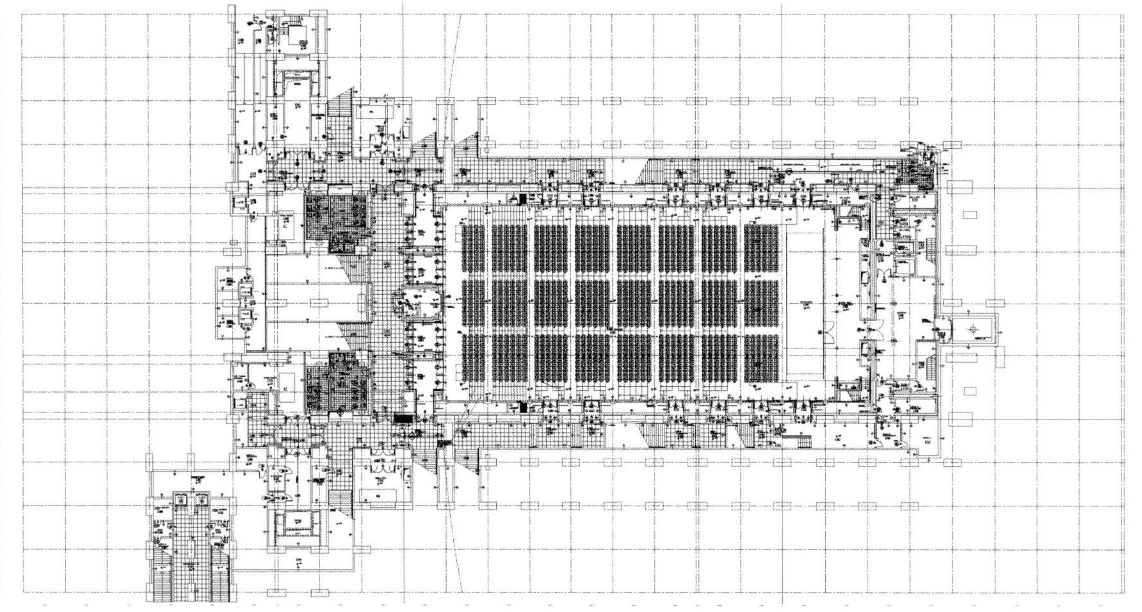

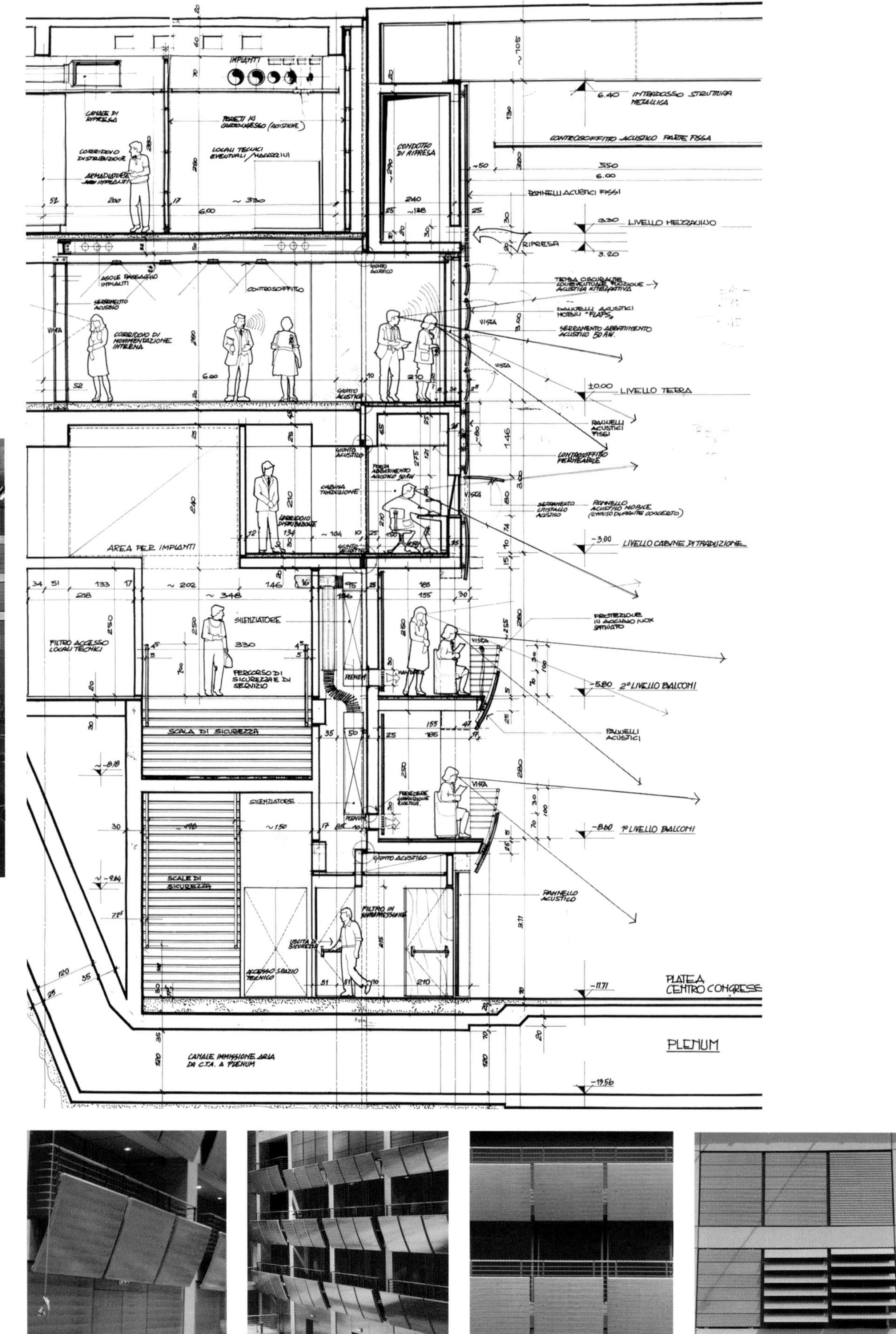

IMPIANTI
CANALE DI RIPRESA
PARETI IN CARTONGESSO (ACUSTICHE)
CORRIDOIO DISTRIBUZIONE
LOCALI TECNICI EVENTUALI / MAGAZZINI
CONDOTTO DI RIPRESA
6.40 INTRADOSSO STRUTTURA METALLICA
CONTROSOFFITTO ACUSTICO PARTE FISSA
PANNELLI ACUSTICI FISSI
3.30 LIVELLO MEZZANINO
RIPRESA
CONTROSOFFITTO
SERRAMENTO ACUSTICO
CORRIDOIO DI MOVIMENTAZIONE INTERNA
PANNELLI ACUSTICI MOBILI "FLAPS"
SERRAMENTO ABBATTIMENTO ACUSTICO 50 dB
VISTA
±0.00 LIVELLO TERRA
PANNELLI ACUSTICI FISSI
CONTROSOFFITTO PERMEABILE
GIUNTO ACUSTICO
CABINA TRADUZIONE
CORRIDOIO DI DISTRIBUZIONE
SERRAMENTO CRISTALLO ACUSTICO
PANNELLO ACUSTICO MOBILE (CHIUSO DURANTE CONCERTO)
-3.00 LIVELLO CABINE DI TRADUZIONE
AREA PER IMPIANTI
FILTRO ACCESSO LOCALI TECNICI
SILENZIATORE
PERCORSO DI SICUREZZA E DI SERVIZIO
PROTEZIONE IN ACCIAIO INOX SATINATO
-5.80 2° LIVELLO BALCONI
SCALA DI SICUREZZA
PANNELLI ACUSTICI
-8.60 1° LIVELLO BALCONI
GIUNTO ACUSTICO
SCALE DI SICUREZZA
PANNELLO ACUSTICO
FILTRO IN SOVRAPRESSIONE
USCITA DI SICUREZZA
ACCESSO SPAZIO TECNICO
-11.71
PLATEA CENTRO CONGRESSI
CANALE IMMISSIONE ARIA DA C.T.A. A PLENUM
PLENUM
-13.56

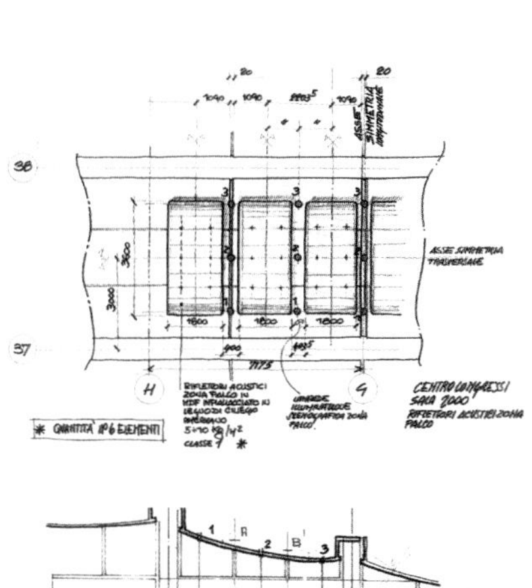

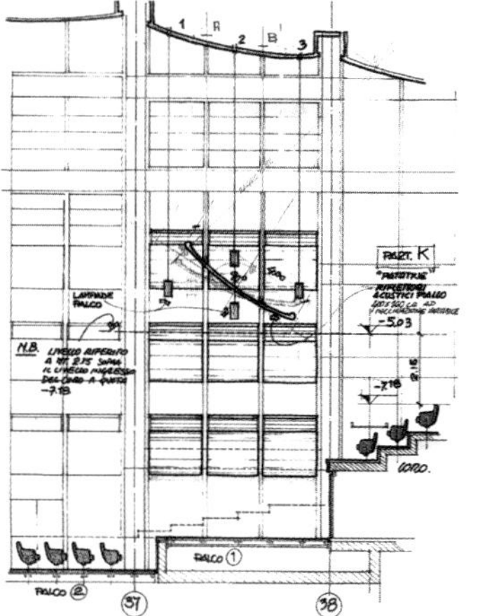

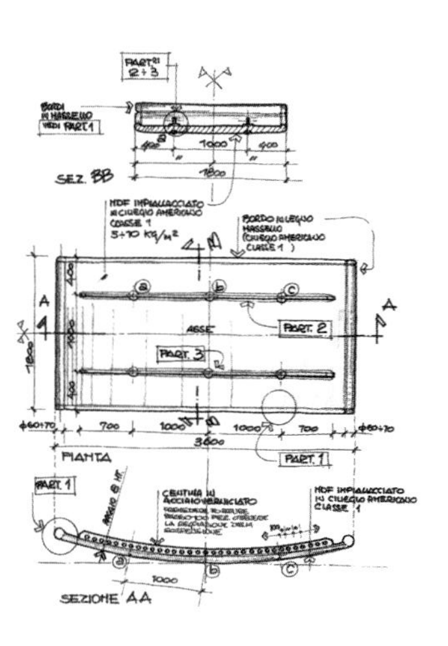

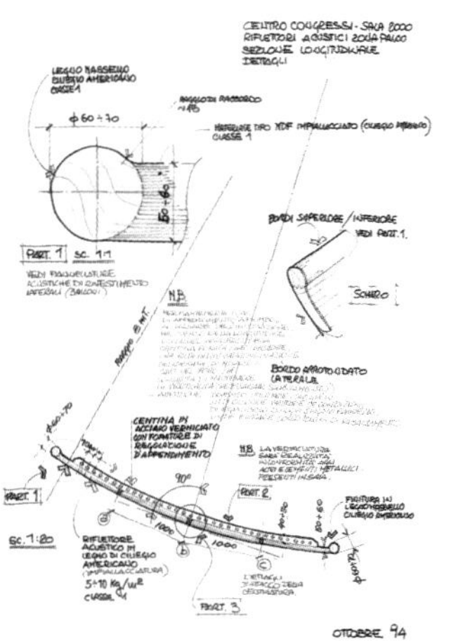

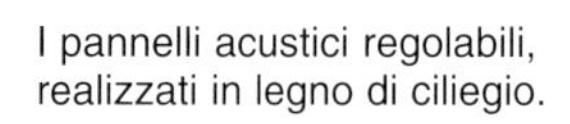

I pannelli acustici regolabili, realizzati in legno di ciliegio.

Acoustic adjustable panels, made of solid cherry wood.

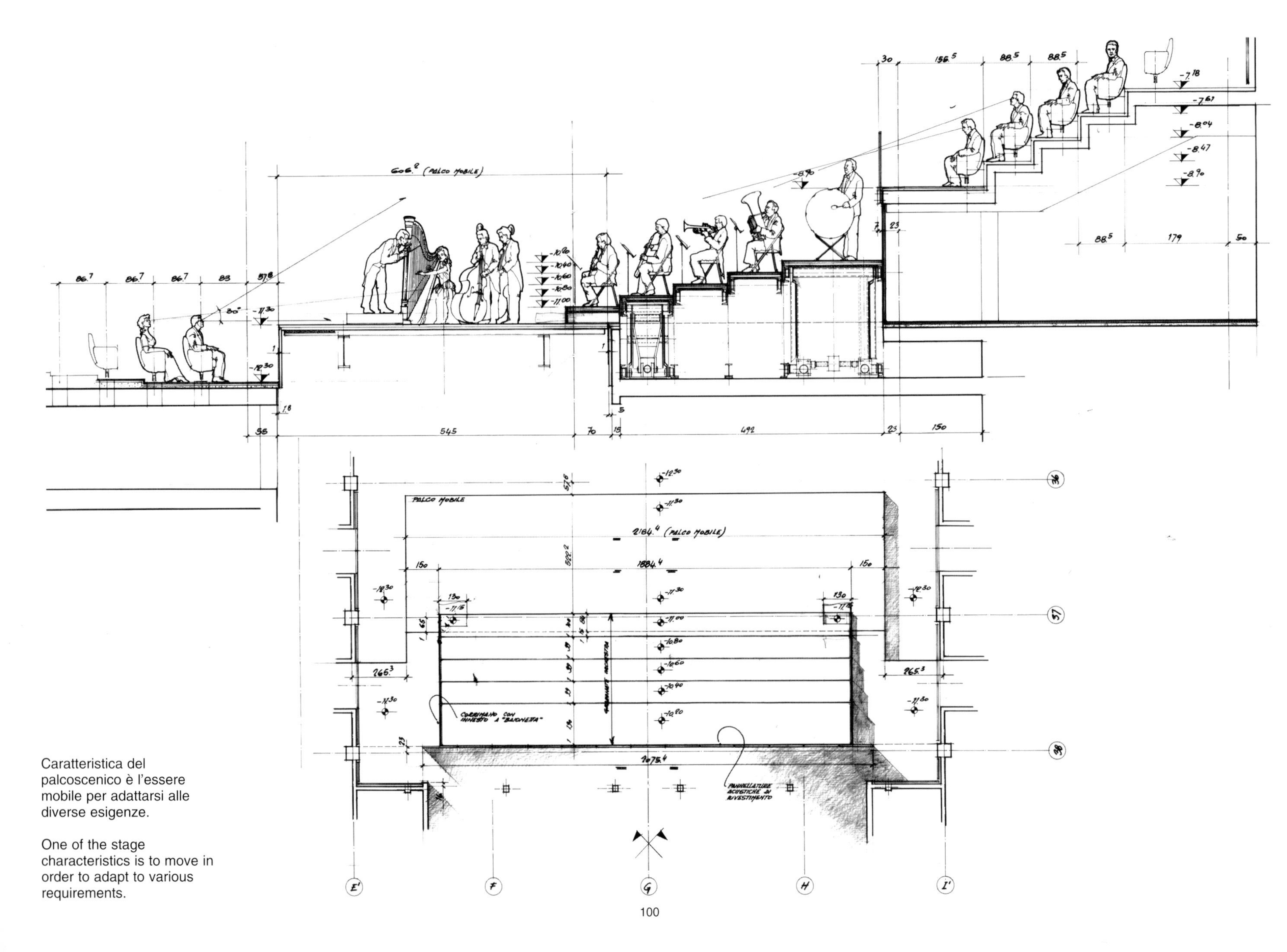

Caratteristica del palcoscenico è l'essere mobile per adattarsi alle diverse esigenze.

One of the stage characteristics is to move in order to adapt to various requirements.

1971-1977

Centro Nazionale d'Arte e Cultura Georges Pompidou, IRCAM

Studio Piano & Rogers

Parigi, Francia

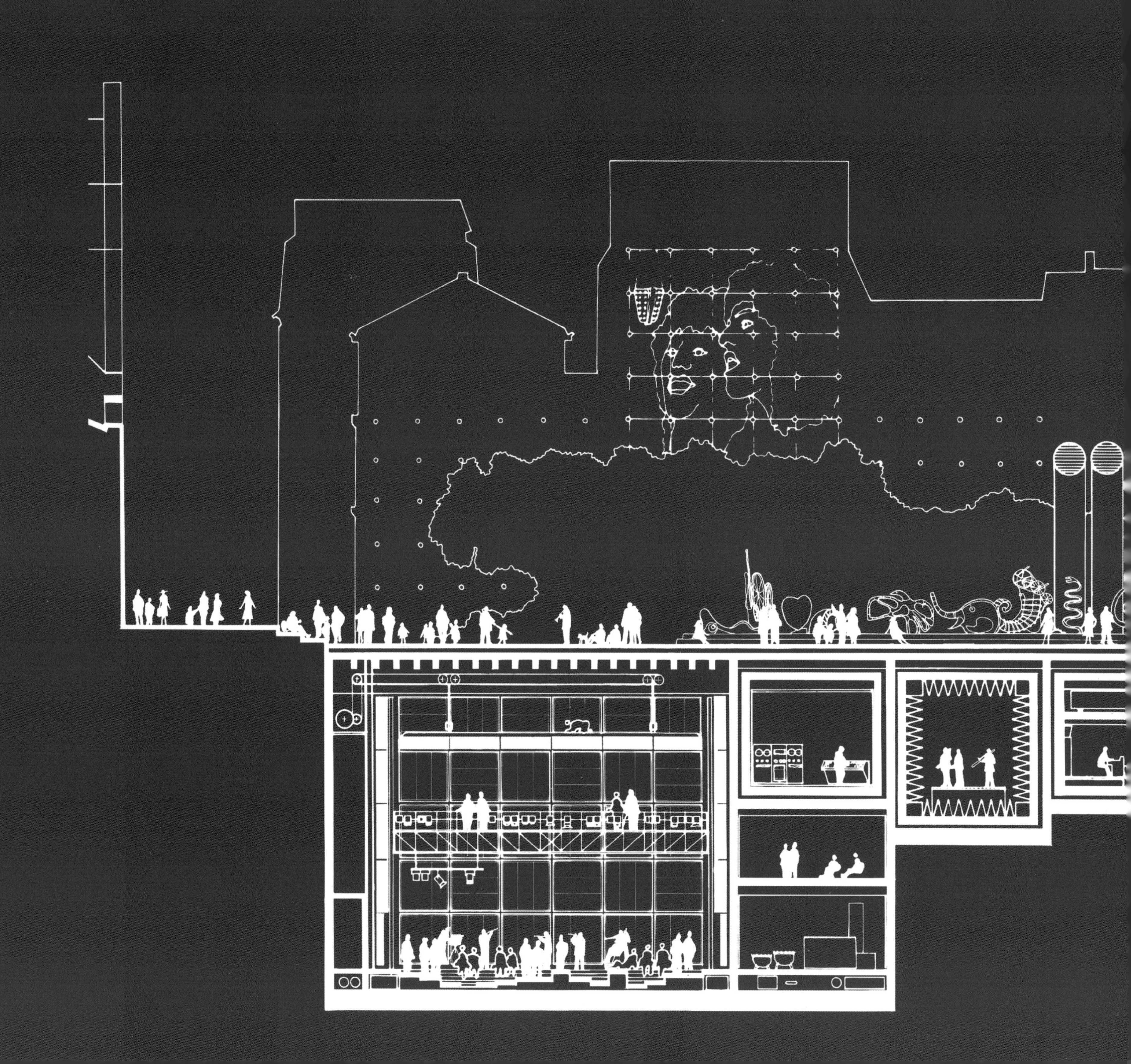

1971-1977

Georges Pompidou National Centre for Arts and Culture, IRCAM

Studio Piano & Rogers

Paris, France

Inaugurato nel 1977, il Centro Nazionale d'Arte e Cultura Georges Pompidou (comunemente detto Beaubourg) occupa, nel cuore di Parigi, 100.000 metri quadrati dedicati alle arti figurative, alla musica, alla lettura. Lo scopo provocatorio del Centre Pompidou era quello di ospitare la cultura in un luogo poco istituzionale, lasciando largo posto agli spazi pubblici.
L'IRCAM (Istituto Contemporaneo di Ricerca Acustica e Musica) fa parte del Centro Pompidou, ma la sua concezione e la sua realizzazione hanno dato luogo a una avventura parallela. Da questo progetto nacque una collaborazione interdisciplinare tra architettura, matematica, musica e acustica che portarono alla costruzione di uno "strumento musicale" che coniuga arte, scienze, creazione e ricerca.
L'idea di un centro di ricerche sotterraneo che consentisse di ottenere un'eccellente insonorizzazione si impose rapidamente. L'IRCAM è una "scatola" interrata totalmente isolata e indipendente: in questo modo, le vibrazioni della circolazione esterna, della metropolitana sono eliminate.
Pannelli mobili permettono la modulazione di ciascuna sala, secondo la forma e il volume. La costruzione si adatta alla musica, alla ricerca e non viceversa. L'acustica è modulabile, grazie ai muri e ai soffitti delle sale, coperti di rilievi dalle forme prismatiche i cui lati permettono una diversa riverberazione sonora: nella sala sperimentale il tempo di riverberazione può variare da 0,6 a 6 secondi (equivalente alla differenza acustica esistente tra una sala cinematografica e una chiesa).
La scelta di costruire sotto terra permise di mettere in valore la chiesa di Saint Merri, e di creare uno spazio urbano, la Place Stravinsky, dove venne installata la fontana di Niki de Saint-Phalle e Tinguely.
Nel 1989, l'Ircam si è dotato di uffici propri: un immobile stretto, di sei piani dalla facciata in terracotta edificato in Place Stravinsky, adiacente alla struttura sotterranea.

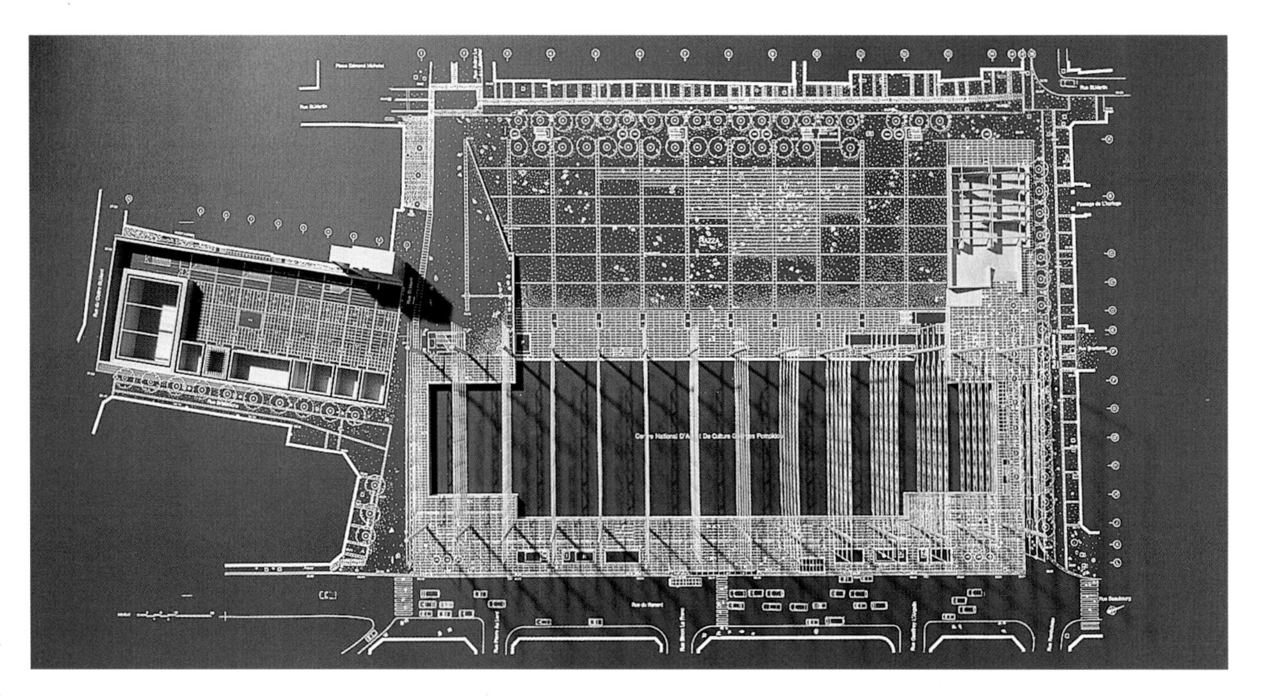

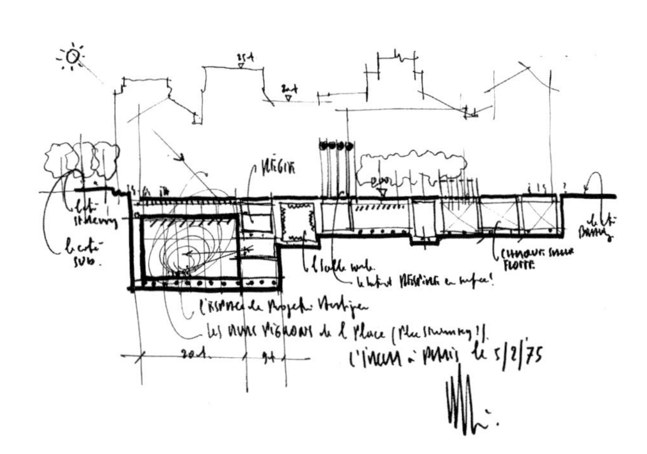

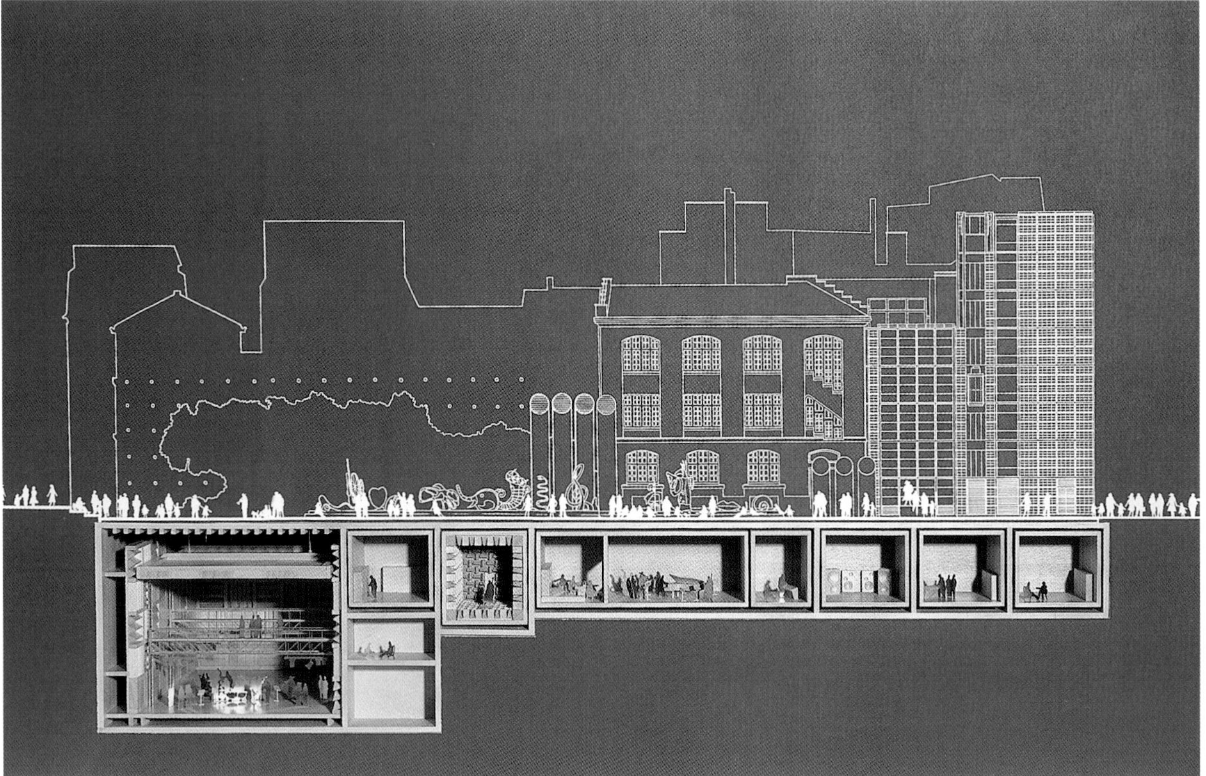

Inaugurated in 1977, the Georges Pompidou National Centre for Arts and Culture (commonly known as Beaubourg) occupies, in the heart of Paris, 100,000 square metres dedicated to figurative arts, music and reading. The provocative idea of the Pompidou Centre was to house culture in a non-institutional place, giving a large area over to public space.
The IRCAM (Institute of Contemporary Research on Acoustics and Music) is a part of the Pompidou Centre, although its conception and realisation were part of a parallel adventure. From this project was born an interdisciplinary collaboration between architecture, mathematics, music and acoustics, culminating in the construction of "a musical instrument", combining art, science, creativity and research.
The choice of an underground research centre, allowing an excellent soundproofing quality, was rapidly adopted. The Ircam is a completely insulated "box", inserted in a hole in the ground from which it is independent. The parasitic vibrations of street traffic and metro trains are thus eliminated.

Retractable screens allow each room to be modified in terms of form and volume. The building adapts to the music and the research, rather than vice versa. The acoustics are modular, partly due to the walls and ceilings of the rooms, covered with a relief of prismatic forms whose faces allow the reverberation of the sound. In the experimental chamber, the reverberation time can vary from between 0,6 and 6 seconds (which is the equivalent of the difference between the acoustics of a cinema and a church).
The underground solution allowed the enhancement of the Saint Merri church, and to create an urban space, the Place Stravinsky, where the fountain by Niki de Saint-Phalle and Tinguely was installed.
In 1989, the Ircam was given new offices. A narrow six-storey building, with a terra-cotta façade, was created in the Place Stravinsky, adjacent to the underground structure.

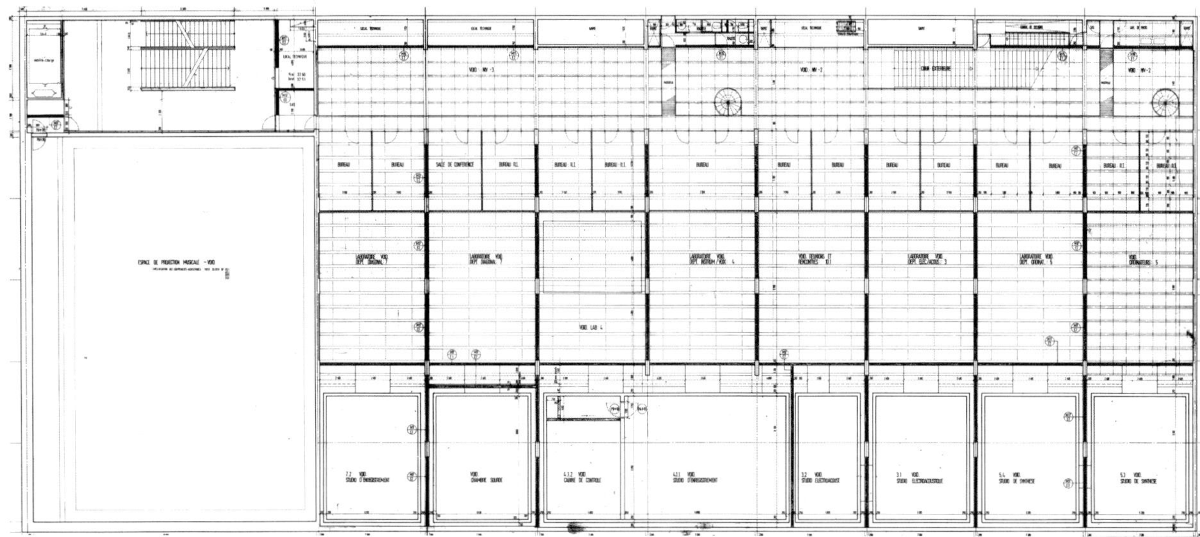

La sala sperimentale con i pannelli regolabili per variare la risposta acustica.

The experimental chamber, with panels that can be adjusted to vary acoustic response.

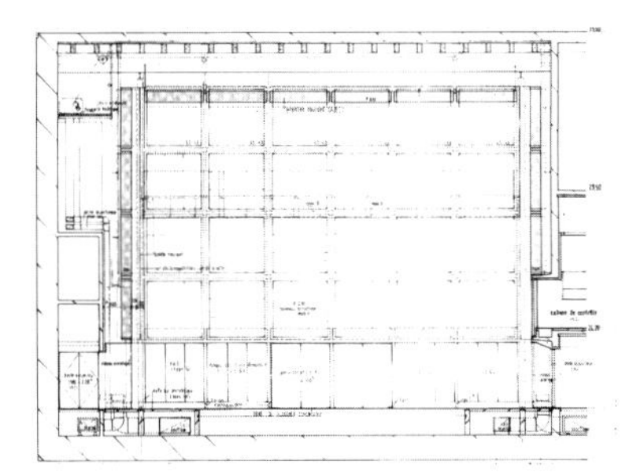

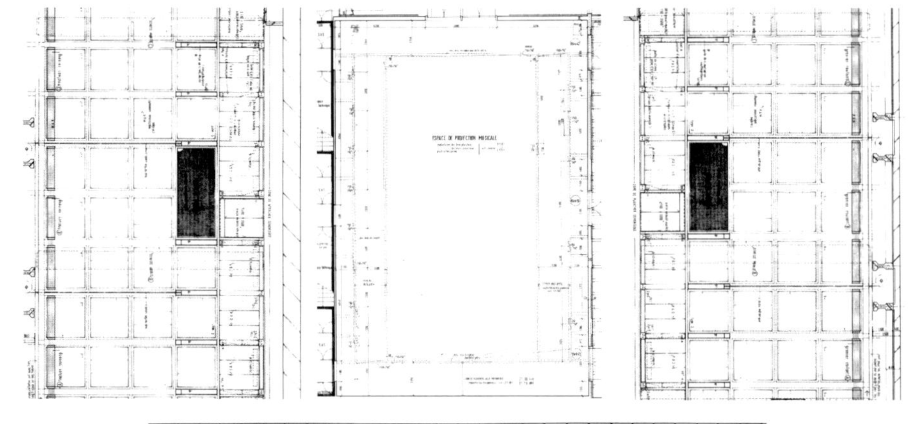

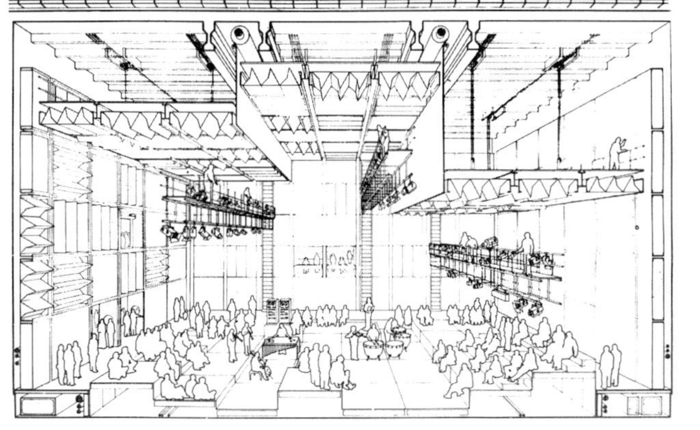

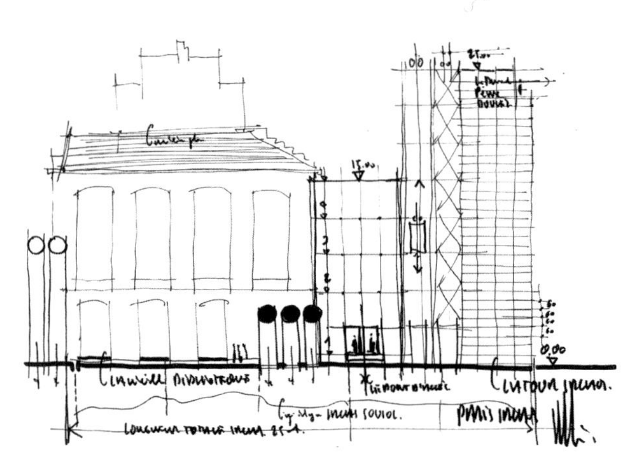

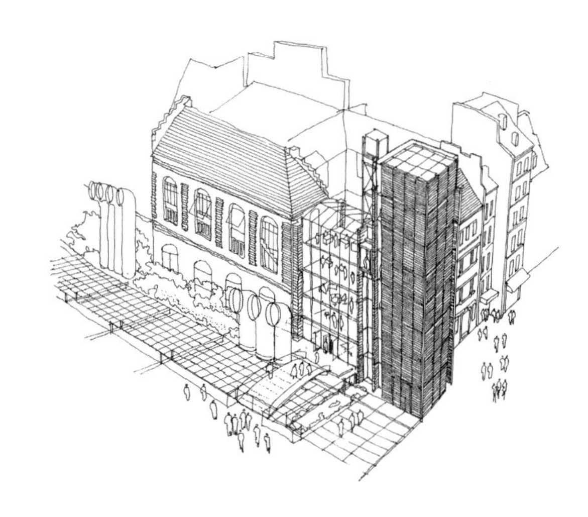

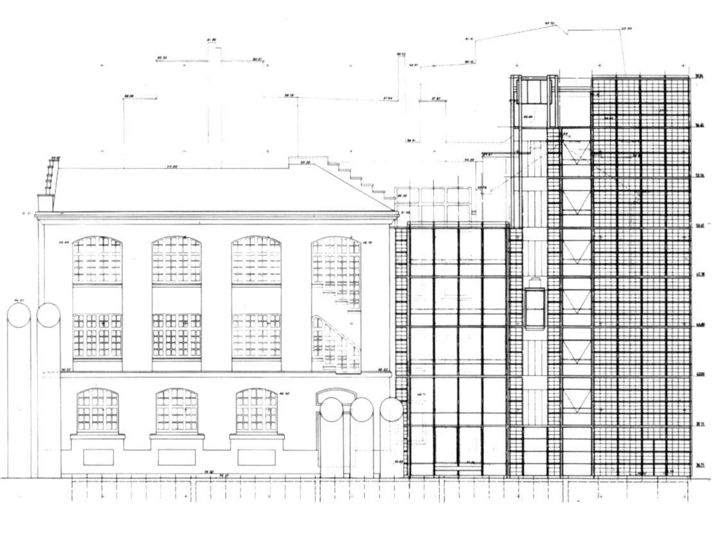

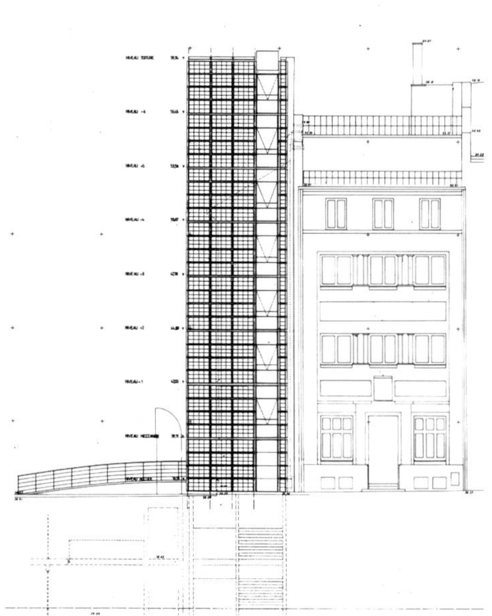

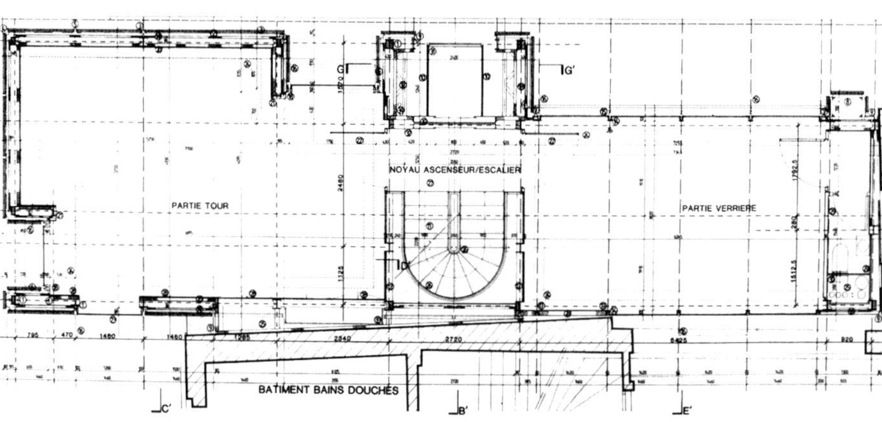
NOYAU ASCENSEUR/ESCALIER
PARTIE TOUR
PARTIE VERRIERE
BATIMENT BAINS DOUCHES

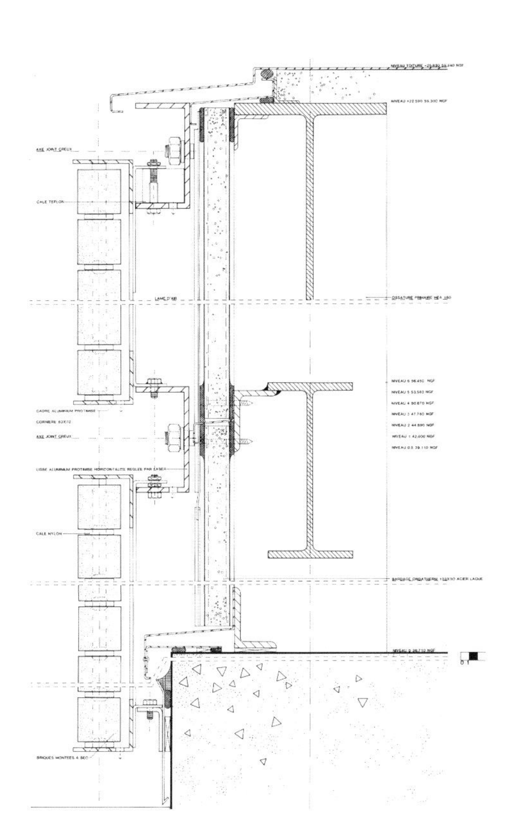

Sezione di dettaglio dei pannelli in terracotta che rivestono la torre per uffici dell'Ircam.

Detail section of the terracotta panels coating the Ircam office tower.

Place Stravinsky con la fontana di Niki de Saint-Phalle e Jean Tinguely.

Place Stravinsky with the Niki de Saint-Phalle and Jean Tinguely fountain.

Renzo Piano Building Workshop

Biografia
Regesto

Biografia

Renzo Piano è nato il 14 settembre 1937 a Genova.
Si è laureato nel 1964 al Politecnico di Milano. Durante l'università, ha lavorato nello studio di Franco Albini, ed ha completato la sua formazione pratica frequentando assiduamente i cantieri edili del padre.
Tra il 1965 e il 1970, ha compiuto numerosi viaggi di ricerca e di lavoro negli Stati Uniti e in Gran Bretagna. È sempre in questo periodo che ha incontrato Jean Prouvé, con il quale ha intessuto un'amicizia che ha avuto una profonda influenza nel suo lavoro.
Nel 1971 fonda lo studio "Piano & Rogers", con Richard Rogers, il suo partner nel progetto del Centre Pompidou a Parigi. Nel 1977 fonda "l'Atelier Piano & Rice" con Peter Rice, che collaborerà a tanti progetti, sino alla sua scomparsa nel 1993.
Nasce infine "Renzo Piano Building Workshop", con sede a Parigi e a Genova, dove lavorano circa cento persone in stretta collaborazione con alcuni architetti associati, a lui legati da lunghi anni di esperienza.

Biography

Renzo Piano was born in Genoa (Italy) on September 14, 1937.
He graduated in 1964 from the school of Architecture of the Milan Polytechnic. As a student, he was working under the design guidance of Franco Albini, while also regularly attending his father's building sites where he got a valuable practical experience.
Between 1965 and 1970, he completed his formation and work experiments with study travels in Britain and America. It was at that time he met Jean Prouvé: their friendship would have a deep influence on his professional life.
In 1971, he founded the "Piano & Rogers" agency with Richard Rogers, his partner on the Centre Pompidou project in Paris. In 1977, he founded "l'Atelier Piano & Rice" with the engineer Peter Rice who collaborated on many projects, until his death in 1993.
He then founded "Renzo Piano Building Workshop", with offices in Paris and Genoa. Some 100 people work there including also a number of associated architects, long-time collaborators, sharing years of experience with Piano.

Renzo Piano Building Workshop,
Parigi-Genova

Senior Partners

Mark Carroll
Giorgio Grandi
Shunji Ishida
Flavio Marano
Bernard Plattner
Alain Vincent
Paul Vincent

Partners

Emanuela Baglietto
Giorgio Bianchi
Antoine Chaaya
Olaf de Nooyer
Philippe Goubet
Donald Hart
Joost Moolhuijzen
Susanna Scarabicchi

Associates

Loïc Couton
Alain Gallissian
Vittorio Grassi
Domenico Magnano
Nayla Mecattaf
Jean-Bernard Mothes
Daniele Piano
Dominique Rat
Maria Salerno
Anne-Hélène Temenides
Vittorio Tolu
Maurits van der Staay
Erik Volz

Architects

Jean-Patrick Allard
Massimo Alvisi
Luca Battaglia
Antonio Belvedere
Katrin Bergmann
Pietro Bruzzone
Morten Busk-Petersen
Mauricio Cardenas
Jack Carter
David Collas
Sheila Colon
Michael Cook
Alfredo De Flora
Chiara Dominici
Dan Dorell
Serge Drouin
Giorgio Ducci
Fabien Durbano
Attila Eris
Federico Florena
Chris Genter
Loïc Gestin
Christine Guillas
Oliver Hempel
Pascal Hendier
Allard Jansen
Florian Kohlbecker
Giacomo Longoni
Stefano Marrano
William Matthews
Tam N'Guyen
Bruce Nichols
Nicola Pacini
Yves Pagès
Andrea Parigi
Mauro Parravicini
Blair Payson
Marie Pimmel
Mauro Prini
Emilia Rossato
Julien Rousseau
Thörsten Sahlmann
Ramiro Salceda
Maren Siebold
Richard Stampton
Andreas Symietz
Brett Terpeluk
Elisabetta Trezzani
Danilo Vespier
Benjamin Waechter

CAD-Operators

Ivan Corte
Stefano D'Atri
Giovanna Langasco
Mara Ottonello

Model-makers

Olivier Aubert
Fausto Cappellini
Dante Cavagna
Christophe Colson
Yiorgos Kyrkos
Stefano Rossi

Documentation & Archives

Stefania Canta
Chiara Casazza
Giovanna Giusto
Patricia Guyot
Aymeric Lorenté

Administration

Cristiano Franchini
Cristina Calvi
Catherine Fleury
Jeanine Lottin
Antonio Porcile
Angela Sacco
Hélène Teboul

Secretarial Department

Francesca Bianchi
Daniela Cappuzzo
Sylvie Romet-Milanesi
Nicole Westermann

Progetti

Progetti completati

1964
Progetti sperimentali sulle strutture leggere e tensostrutture

1973
Edificio per uffici per B&B Italia, Como, Italia

1974
Case monofamiliari, Cusago, Milano, Italia

1977
Centro culturale Georges Pompidou, Parigi, Francia (Piano & Rogers)
IRCAM, Instituto per la ricerca musicale, Parigi, Francia (Piano & Rogers)

1979
Progetto di riabilitazione dei centri storici in collaborazione con Unesco, Otranto, Italia

1980
VSS, veicolo sperimentale per FIAT, Torino, Italia

1983
Mostra retrospettiva di A. Calder, Torino, Italia

1984
Riabilitazione degli stabilimenti Schlumberger, Parigi, Francia
Spazio musicale per l'opera "Prometeo" di L. Nono, Venezia, Italia

1985
Edificio per uffici per lo stabilimento Lowara, Vicenza, Italia

1986
Mostra itinerante in Europa del padiglione Exhibit per IBM
Museo per la Collezione de Menil, Houston, U.S.A.

1987
Sede dell'Istituto Sperimentale dei metalli leggeri, Novara, Italia

1990
Stadio di calcio S. Nicola, Bari, Italia
Centro Commerciale Bercy Charenton, Parigi, Francia
Ampliamento dell'Ircam, Parigi, Francia
Nave da crociera per P&O, U.S.A

1991
Edifici di abitazione per la Città di Parigi, Rue de Meaux, Parigi, Francia
Stazioni della metropolitana per Ansaldo, Genova, Italia
Stabilimento Thomson, Guyacourt, Francia

1992
Sede del Credito Industriale Sardo, Cagliari, Italia
Esposizione Internazionale Colombiana di Genova, Italia
Acquario e Centro Congressi nell'area Expò, Genova, Italia

1994
Auditorium al Lingotto, Torino, Italia
Aeroporto internazionale del Kansai, Osaka, Giappone
Renzo Piano Bulding Workshop ufficio, Genova, Italia

1995
Galleria per le opere di Cy Twombly, Houston, U.S.A.
Hotel Meridien e Business Center al Lingotto, Torino, Italia
Sede della Capitaneria di Porto, Genova, Italia

1996
Cinema multisala, uffici, Museo d'arte contemporanea, Centro Congressi (2000, 800 e 300 posti), landscape, Cité Internationale, Lione, Francia
I Portici (Shopping Street) al Lingotto, Torino, Italia

1997
Ponte di Ushibuka, Kumamoto, Giappone
Ricostruzione dell'Atelier Brancusi, Parigi, Francia
Museo della Scienza e della Tecnica, Amsterdam, Olanda
Museo Fondazione Beyeler, Riehen, Basilea, Svizzera
Torre Debis, sede della Daimler Benz, Potsdamer Platz, Berlino, Germania
Galleria del Vento della Ferrari, Maranello, Modena, Italia

1998
Centro Culturale Jean Marie Tjibaou, Nouméa, Nuova Caledonia
Centro Stile per Mercedes Benz Design Center, Stuttgart, Germania
Progetti Daimler Benz, Potsdamer Platz: teatro per musical, teatro Imax, casinò, abitazioni, Berlino, Germania
Sede della Banca Popolare di Lodi, Italia

1999
Hotel e Casinò, Cité Internationale, Lione , Francia
Completamento sistemazioni esterne Porto Antico, Genova, Italia
Centro commerciale ed uffici, Lecco, Italia

2000
Ristrutturazione Centro G. Pompidou, Parigi, Francia
Daimler Benz, Potsdamer Platz, uffici, Berlino, Germania
Torre per uffici KPN Telecom, Rotterdam, Olanda
Uffici e residenze, Aurora Place, Sydney, Australia

2001
Auditorium Lodi, Italy
Maison Hermès, Tokyo, Giappone
Auditorium Niccolò Paganini, Parma, Italia

2002
Auditorium, Roma, Italia

Progetti in corso

1991
Nuova Chiesa per Padre Pio, San Giovanni Rotondo, Foggia, Italia

1995
Centro commerciale e di servizi, Nola, Napoli, Italia

1997
Harvard University Art Museum, ristrutturazione ed ampliamento, Harvard, Cambridge, Massachusetts, U.S.A.

1998
Residenze, Cité Internationale, Lione, Francia
Nuova Sede del giornale "Il Sole 24 Ore", Milano, Italia
Convento dei Frati Minori Cappuccini, San Giovanni Rotondo, Foggia, Italia
Nuove Stazioni Metropolitane di Genova, Italia
Lingotto Fase 3 (università, cinema, negozi), Torino, Italia

1999
Museo Paul Klee, Berna, Svizzera
Ampliamento dell'Art Institute of Chicago, Chicago, U.S.A
Centro Commerciale, Colonia, Germania
Nasher Scuplture Garden, Dallas, U.S.A
Ampliamento Woodruff Arts Center, Atlanta, U.S.A
Braço de Prata, complesso per abitazioni ed uffici, Lisbona, Portogallo

2000
Ampliamento California Academy of Science, San Francisco, U.S.A
Nuova Sede Virgin Continental Europe, Parigi, Francia
Centro Congressi, Cité Internationale, Lione, Francia
Pinacoteca Lingotto, Torino, Italia
London Bridge Tower, Londra, Gran Bretagna
Nuova sede del New York Times, New York, NY, U.S.A
Restauro e ampliamento della Morgan Library, New York, U.S.A.

Main Projects

Main Projects Completed

1964
Lightweight Structures

1973
Office building for B&B Italia, Como, Italy

1974
One-family homes, Cusago, Milan, Italy

1977
Centre Georges Pompidou, Paris, France (with Richard Rogers)
IRCAM, Institute for acoustic reseach, Paris, France

1979
Participation project for the rehabilitation of historical centers, Otranto, Italy

1980
VSS Experimental vehicle for FIAT, Turin, Italy

1983
Housing in Rigo district, Perugia, Italy
A. Calder retrospective exhibition, Turin, Italy

1984
Schlumberger factories rehabilitation, Paris, France
Musical space for Prometeo opera by L. Nono, Venice, Italy
Office building for Olivetti, Naples, Italy

1985
Office building for Lowara factory, Vicenza, Italy

1986
IBM Travelling Exhibition in Europe
Museum for the Menil Collection, Houston, U.S.A.

1987
Headquarter for Light Metals Experimental Institute, Novara, Italy

1990
S. Nicola Football stadium, Bari, Italy
Bercy commercial center, Paris, France
IRCAM Extension, Paris, France
Cruise ships for P&O, U.S.A.

1991
Housing for the City of Paris, Rue de Meaux, Paris, France
Thomson factories, Guyancourt, France
Underground stations for Ansaldo, Genoa, Italy

1992
Headquarter for the Credito Industriale Sardo, Cagliari, Italy
Columbus International Exposition; Aquarium and Congress Hall, 1992, Genoa, Italy

1994
Lingotto Congress-Concert Hall, Turin, Italy
Kansai International Airport, Osaka, Japan
Renzo Piano Building Workshop Office, Genoa, Italy

1995
Cy Twombly Pavilion, Houston, U.S.A.
Meridien Hotel at Lingotto and Business Center, Turin, Italy
Headquarter Harbour Authorities, Genoa, Italy

1996
Cinema, Offices, Contemporary Art Museum, Congress Centre (200, 800 et 300 seats), Landscape, Cité Internationale, Lyon, France
I Portici (Shopping Street at Lingotto), Turin, Italy

1997
Ushibuka Bridge, Kumamoto, Japan
Reconstruction of the Atelier Brancusi, Paris, France
Museum of Science and Technology, Amsterdam, The Netherlands
Museum of the Beyeler Foundation, Riehen, Basel, Switzerland
The Debis building Headquarters, Daimler Benz, Potsdamer Platz, Berlin, Germany
Wind tunnel for Ferrari, Maranello, Modena, Italy

1998
Cultural Center Jean Marie Tjibaou, Nouméa, New Caledonia
Mercedes Benz Design Center, Stuttgart, Germany
Daimler Benz Potsdamer Platz projects: musical theatre, Imax theatre, residentials, retails, Berlin, Germany
Lodi Bank Headquarters, Lodi, Italy

1999
Hotel and Casino, Cité Internationale, Lyon, Francia
Completion open spaces, Old Harbour, Genoa, Italy
Commercial and offices centre, Lecco, Italy

2000
Interior and Exterior Rehabilitation of the Pompidou Center, Paris, France
Daimler Benz, Potsdamer Platz, offices, Berlin, Germany
KPN Telecom office tower, Rotterdam, The Netherlands
Aurora Place, High-Rise office block, Sydney, Australia

2001
Auditorium, Lodi, Italy
Maison Hermès, Tokyo, Japan
Niccolò Paganini Auditorium, Parma, Italy

2002
Auditorium, Roma, Italy

Projects in Progress

1991
Padre Pio Pilgrimage Church, San Giovanni Rotondo, Foggia, Italy

1995
Commercial, leisure and service centre, Nola, Napoli, Italy

1997
Harvard University Art Museum Master Plan, Renovation and Expansion Project, Harvard, Cambridge, Mass., U.S.A.

1998
Headquarters of the newspaper “Il Sole 24 Ore”, Milan, Italy
Cloister of the Capuchin Monks, San Giovanni Rotondo, Foggia, Italy
New subways stations in Genoa, Italy
Lingotto Phase 3 (university, cinema, retail), Turin, Italy

1999
Paul Klee Museum, Bern, Switzerland
Extension Art Institute of Chicago, Chicago, U.S.A
Department store, Cologne, Germany
The Nasher Scuplture Centre, Dallas, U.S.A
Extension Woodruff Arts Center, Atlanta, U.S.A
Braço de Prata, housing complex, Lisbon, Portugal

2000
Extension California Academy of Sciences, San Francisco, U.S.A
New headquarters Virgin Continental Europe, Paris, France
Congress centre, Cité Internationale, Lyon, France
Intervention in the old harbour of Genoa concerning the G8 summit
London Bridge Tower, London, England
Art Gallery Lingotto, Turin, Italy
Headquarters of the New York Times, NY, U.S.A
Renovation and extension of the Morgan Lybrary, New York, U.S.A.

Fotografi
Gianni Berengo Gardin
Robert Boulay
Enrico Cano
Michel Denancé
John Gollings
Donald Hart
Martin Hartwig
Shunji Ishida
Shigeyuri Moroshita
Vincent Mosch
Pierre-Alain Pantz
Morten Petersen
C. Reves - M. Follo
William Vassal

Copyright fotografici
IRCAM
Gabella
Kunz & Mosch
Lingotto S.r.l.
Marsilio Editore
Renzo Piano Building Workshop

Finito di stampare
nel mese di aprile 2002
presso Arti Grafiche Nidasio, Assago, Milano